LE MEC DE LA TOMBE D'À CÔTÉ

DU MÊME AUTEUR

Trucs et ficelles d'un petit troll, Hachette jeunesse, 2002.
Le Mec de la tombe d'à côté, Gaïa, 2006.
Entre Dieu et moi, c'est fini, Gaïa, 2007.
Les Larmes de Tarzan, Gaïa, 2007.
Entre le chaperon rouge et le loup, c'est fini, Gaïa, 2008.
La fin n'est que le début, Gaïa, 2009.

Titre original :
Grabben i graven bredvíd
Editeur original :
Alfabeta Bokförlag AB, Stockholm
© Katarina Mazetti, 1998

© Gaïa Editions, 2009
pour la traduction française
ISBN 978-2-7427-7190-5

KATARINA MAZETTI

Le mec
de la tombe
d'à côté

roman traduit du suédois
par Lena Grumbach et Catherine Marcus

BABEL

1

Qui prend le parti des morts ?
Qui veille sur leurs droits
écoute leurs problèmes
et arrose leurs plantes vertes ?

Méfiez-vous de moi !

Seule et déçue, je suis une femme dont la vie sentimentale n'est pas très orthodoxe, de toute évidence. Qui sait ce qui pourrait me passer par la tête à la prochaine lune ?

Vous avez quand même lu Stephen King ?

Juste là, je suis devant la tombe de mon mari, assise sur un banc de cimetière vert bouteille lustré par des générations de fesses, en train de me monter la tête contre sa dalle funéraire.

C'est une petite pierre brute et sobre gravée seulement de son nom, *Örjan Wallin*, en caractères austères. Simple, presque à outrance, tout à son image. Et il l'a effectivement choisie lui-même, il avait laissé des indications dans son contrat obsèques souscrit chez Fonus.

Il y a de quoi s'énerver. Je veux dire, il n'était même pas malade.

Je sais exactement ce qu'il veut dire avec sa pierre : "La mort est un élément parfaitement naturel du processus vital." Il était biologiste.

Je te remercie, Örjan.

Je viens plusieurs fois par semaine pendant la pause de midi, et toujours au moins une fois le week-end. S'il se met à pleuvoir, je sors d'une toute petite pochette un imperméable en plastique. Je l'ai trouvé dans la commode de maman, il est parfaitement hideux.

Nous sommes nombreux à avoir ce genre d'imperméable ici au cimetière.

Je passe au moins une heure ici, à chaque fois, avant de m'en aller. Dans l'espoir sans doute de susciter un chagrin de circonstance, à force d'acharnement. On pourrait dire que je me sentirais beaucoup mieux si j'arrivais à me sentir moins bien, si j'étais capable de tordre les mouchoirs à la pelle ici sur mon banc, sans poser tout le temps ce regard en coin sur moi-même pour vérifier si mes larmes sont vraies.

La vérité, et elle est pénible, c'est que la moitié du temps je suis furieuse contre lui. Foutu lâcheur, tu aurais quand même pu faire plus attention avec ton vélo. Et le reste du temps, je ressens probablement la même chose qu'un enfant quand son vieux canari malade a fini par rendre l'âme. Oui, je l'avoue.

Ce qui me manque, c'est sa compagnie indéfectible et la routine quotidienne. Plus de froissement de journal à côté de moi dans le canapé, ça ne sent jamais le café quand je rentre, l'étagère à chaussures est comme un arbre en hiver, dépouillée de tous les souliers et bottes d'Örjan.

Si je ne trouve pas "Dieu soleil en deux lettres", il me faut deviner, ou passer à la définition suivante.

L'autre moitié du lit double jamais défaite.

Personne pour se demander pourquoi je ne rentre pas à la maison, si je venais à me faire écraser par une voiture.

Et personne pour tirer la chasse d'eau à part moi.

J'en suis donc là, à regretter le bruit de la chasse d'eau, assise sur un banc de cimetière. Ça te va comme bizarrerie, Stephen ?

C'est l'atmosphère des cimetières qui me fait tenir ce langage crispé d'humoriste de bas étage. Ça tient de l'autocensure, évidemment, et de la conjuration – mais qu'on me laisse au moins m'offrir cela. Ces petits rituels sont à peu près tout ce qui me reste pour passer le temps.

Avec Örjan, c'était clair, je savais qui j'étais. Nous nous définissions, c'est bien à ça que servent les relations de couples, non ?

Alors que maintenant, qui suis-je ?

Une femme totalement livrée à ceux qui par hasard la voient. Pour les uns, je suis une électrice, pour les autres, piétonne, salariée, consommatrice de culture, capital humain ou propriétaire d'appartement.

Ou alors seulement une synthèse de cheveux aux pointes fourchues, de tampons périodiques qui fuient et de peau sèche.

Mais je peux évidemment continuer à utiliser Örjan pour m'identifier. Il peut bien me rendre ce service posthume. Sans lui, on aurait pu me qualifier de "nana solo, trente plus", j'ai vu cette formule dans un magazine hier, j'en ai eu le poil hérissé. Alors qu'à présent je suis une "veuve encore jeune, sans enfants", quelle tragédie et quelle injustice. Oui, vraiment, je te remercie, Örjan !

Quelque part me taraude aussi un petit sentiment de pure déconfiture. Je suis tout simplement dépitée qu'Örjan soit allé mourir bêtement comme ça.

Nous avions tout planifié, pour notre avenir proche comme pour le lointain ! Vacances en canoë-kayak dans le Värmland et chacun sa confortable retraite complémentaire.

Örjan aussi devrait être dépité. Tout ce tai-chi, ces pommes de terre bio et ces acides gras polysaturés. Qu'est-ce que ça lui a rapporté en fin de compte ?

Se demande l'humoriste de bas étage en montrant ses incisives jaunes.

Parfois je me mets carrément en rogne à sa place. Ce n'est pas juste, Örjan ! Toi qui voulais tant de bien, toi qui étais si compétent !

Je ressens aussi parfois un léger frémissement impatient entre les jambes, après cinq mois de célibat. Ça me donne l'impression d'être nécrophile.

A côté de la pierre tombale d'Örjan, il y a une stèle funéraire monstrueuse, oui, carrément vulgaire ! Marbre blanc avec calligraphie dorée, des angelots, des roses, des oiseaux, des guirlandes de devises et même une petite tête de mort vivifiante et une faux. La tombe elle-même est couverte de plantes, on dirait une pépinière. Il y a un nom masculin et un nom féminin avec des dates de naissance similaires, à coup sûr c'est un enfant qui honore ses parents de cette façon chargée.

Il y a quelques semaines, j'ai vu pour la première fois la personne en deuil devant la stèle tape-à-l'œil. C'est un homme de mon âge avec un blouson voyant et une casquette doublée avec cache-oreilles. La calotte est à l'américaine, plus haute devant, avec l'inscription *LES FORESTIERS*. Il était très occupé à biner et à nettoyer la plate-bande.

Presque rien ne pousse autour de la pierre d'Örjan. Il aurait probablement trouvé un petit rosier totalement déplacé, l'espèce n'a pas sa place dans le biotope des cimetières. Et le fleuriste devant l'entrée du cimetière ne vend pas d'achillées ni de reines-des-prés.

Le Forestier vient régulièrement à quelques jours d'intervalle, vers midi, toujours en trimballant de nouvelles plantes et des engrais. Il dégage cette fierté propre aux cultivateurs du dimanche, comme si la tombe était son jardin ouvrier.

La dernière fois, il s'est assis à côté de moi sur le banc et il m'a observée du coin de l'œil, mais sans rien dire.

Il avait une drôle d'odeur et seulement trois doigts à la main gauche.

2

Putain, je ne peux pas la blairer, je ne peux vraiment pas la blairer !

Pourquoi elle est tout le temps assise là ?

J'avais l'habitude de me poser un moment sur le banc après l'entretien de la tombe pour reprendre le fil de mes pensées. J'essayais de trouver un petit bout de ficelle auquel m'accrocher et qui me permettrait d'avancer encore un jour, ou deux. A la ferme, quand je cavale entre tout ce qu'il y a à faire, je n'arrive pas à penser. Si je ne me concentre pas sur ce que j'ai en mains, inévitablement arrive une mini-catastrophe qui me donne un jour de travail supplémentaire. Je plante le tracteur sur un rocher et l'essieu arrière pète. Une vache s'abîme un trayon parce que j'ai oublié d'attacher son protège-pis.

Me rendre sur la tombe est mon seul bol d'air, mais, même là, j'ai du mal à me dire que j'ai le droit de faire une pause et de simplement penser. Il me faut d'abord biner et planter et m'activer, avant de m'autoriser à m'asseoir.

Et alors je la trouve assise là.

Décolorée comme une vieille photo couleur qui a trôné dans une vitrine pendant des années. Des cheveux blonds fanés, le teint pâle, des cils et sourcils blancs, des vêtements ternes et délavés, toujours un truc bleu ciel ou sable. Une femme beige. Toute sa personne est une insulte – un peu de maquillage ou un joli bijou auraient indiqué à l'entourage qu'elle prête attention à son image et à l'opinion des autres, sa pâleur en revanche ne dit que : "Je m'en fous de ce que vous pensez, je ne vous vois même pas."

J'aime les femmes dont l'apparence clame : "Regardez-moi, voyez ce que j'ai à offrir !" Je me sens presque flatté. Elles doivent avoir du rouge à lèvres brillant et de petites chaussures pointues avec de fines lanières, et remonter de préférence leurs seins sous votre nez. Rien à foutre si le rouge à lèvres s'étale, si la robe est trop serrée sur les bourrelets, si de fausses perles géantes se bousculent autour du cou – tout le monde ne peut pas avoir bon goût, c'est l'effort qui compte. Je tombe toujours un peu amoureux quand je vois une femme plus toute jeune qui a consacré une demi-journée à se pomponner pour qu'on la remarque, surtout si elle a des faux ongles, des cheveux cramés par les permanentes et des talons aiguilles casse-gueule. Ça me donne envie de la prendre dans mes bras, de la consoler et de lui faire des compliments.

Je ne le fais pas, évidemment. Je les vois à la poste ou à la banque, jamais de plus près, et les seules femmes qui passent à la ferme sont l'inséminatrice ou la véto. Munies de longs tabliers bleus en caoutchouc, de grosses bottes, un foulard sur les cheveux, elles brandissent des tubes avec du sperme de taureau à tout bout de champ. Elles sont toujours trop pressées pour rester boire un café – même si j'avais eu le temps d'entrer en préparer.

Maman n'arrêtait pas de me tarabuster les dernières années pour que je "sorte" me trouver une fille. Comme si elles étaient là dehors quelque part, un troupeau de filles dociles, et qu'on n'avait que l'embarras du choix. On prend bien le fusil pendant la saison de chasse pour sortir se tirer un lièvre, alors…

Elle savait, bien avant moi, que le cancer la rongeait lentement de l'intérieur et que j'allais me retrouver seul avec tout le travail de la ferme, mais aussi avec tout ce qu'elle avait assumé au fil des ans : une maison chaude, des draps propres, une salopette de travail lavée tous les deux jours, de bons petits plats, toujours du café au chaud et des gâteaux qui sortaient du four. Il y avait un boulot énorme derrière tout ça dont je n'avais pas eu à me soucier – le bois à fendre, le chauffage, les baies à cueillir, la lessive, les tâches que je n'ai jamais le temps d'accomplir maintenant. La salopette tient debout toute seule, imbibée de merde et de lait caillé, les draps sont grisâtres, la maison glacée quand on entre et le café se résume à une tasse d'eau chaude du robinet avec du Nes. Et jour après jour cette putain de saucisse de chez Scan – "Les produits des éleveurs suédois" – qui éclate invariablement dans le micro-ondes.

Elle avait pris l'habitude de poser la deuxième partie du *Pays*, ouverte aux petites annonces de rencontres, à côté de ma tasse. Parfois elle avait entouré une annonce. Mais elle ne disait jamais rien directement.

Ce que ma mère ne savait pas, c'est qu'il n'y a plus de jeunes filles qui attendent au quai de collecte du lait, prêtes à devenir la maîtresse de maison d'un Célibataire-séduisant-avec-Propriété-à-la-campagne. Elles sont toutes parties en ville et aujourd'hui elles sont devenues institutrices et infirmières. Elles ont épousé des mécaniciens ou des commerciaux et elles tirent des plans sur la comète pour devenir propriétaires d'un pavillon. Des fois, elles reviennent ici en été avec leur mec et une tête blonde dans un porte-bébé et elles se la coulent douce sur une chaise-longue dans la cour de la vieille ferme des parents.

Carina, qui me poursuivait tout le temps au collège et qui était partante si on la baratinait un peu, me tend des guet-apens à l'épicerie, parfois. L'épicerie ouvre pendant les mois d'été, pour quelques années encore avec un peu de chance. Elle me saute dessus tout à coup en faisant comme si c'était un pur hasard qu'on se croise, puis elle commence l'interrogatoire, si je suis marié, si j'ai des enfants. Elle habite en ville maintenant, avec Stefan qui est magasinier aux Galeries Domus, dit-elle d'un air triomphant, s'attendant à me voir verser des larmes sur ce que j'ai loupé. Tu peux toujours courir !

La bonne femme toute pâle, elle a peut-être aussi de vieux parents chez qui aller se la couler douce en été. J'apprécierais d'être débarrassé d'elle pendant quelques semaines. Quoique, en été, je n'aie même pas le temps de venir ici, sauf s'il pleut des cordes, mais ça, c'est pas terrible pour la récolte d'automne.

Et cette pierre tombale qu'elle ne quitte pas des yeux ! C'est quoi cette pierre ? On dirait un truc que le géomètre a balancé là pour marquer la limite du terrain !

C'est maman qui a choisi la stèle de papa. Je vois bien que c'est une stèle pompeuse mais je vois aussi tout l'amour qu'elle a mis dans son choix. Elle y a passé des semaines, elle a commandé plein de catalogues. Tous les jours elle avait une nouvelle idée de décoration et pour finir, elle a tout pris.

Örjan, c'est un père, un frère, ou c'était son homme ? Et du moment qu'elle se donne la peine de venir, jour après jour, et de rester là les yeux rivés sur la pierre, elle pourrait au moins se donner la peine de planter quelque chose sur la tombe.

3

Evidemment que les bords de la plaie luttent
pour se refermer
et que l'horloge voudrait qu'on la remonte
(pas marrant de rester bloquée sur une heure et demie !)
Dans les membres amputés, des douleurs fantômes
se manifestent

Aujourd'hui, il s'est passé une chose totalement imprévue.

Il faisait un temps d'automne froid et limpide, et à midi j'ai fait mon petit tour au cimetière. Le Forestier était là sur le banc, il m'a reluquée d'un air morose, comme si je lui faisais subir une violation de domicile dans son cimetière personnel. Il avait déjà dû accomplir ses gestes rituels d'horticulteur, parce que ses mains étaient pleines de terre. Je me demande pourquoi il n'a que trois doigts.

Je pris place sur le banc et je commençai à penser aux enfants qu'on aurait eus, Örjan et moi. Örjan aurait profité de la moitié du congé parental et il aurait été imbattable en couches hypoallergéniques et en porte-bébés ergonomiques. Il aurait fait des séances de piscine avec le pitchoun.

Nous sommes restés mariés cinq ans et pendant ce temps nous ne nous sommes pratiquement jamais disputés. Des paroles un peu sèches de temps à autre, une rebuffade par-ci, une moue de mépris par-là, toujours de ma part, mais sans que ça ne dégénère, jamais.

Ce n'était pas grâce à moi. Örjan ne se disputait avec personne. Il expliquait aimablement et inlassablement son point de vue jusqu'à ce qu'on baisse pavillon par pur épuisement.

Il est arrivé une fois ou deux que toute cette douceur me fasse perdre le contrôle et que je me conduise comme un enfant – coups de pied dans les meubles, sorties bruyantes, portes claquées. Il faisait toujours celui qui ne remarque rien, et je n'insistais jamais, ça aurait fait mauvais genre et j'aurais eu l'impression de lui céder des points.

Une fois, j'ai froissé son journal, page par page, et je l'ai bombardé avec les boules de papier. Nous avions consacré la moitié du samedi à ce journal – des articles de fond dont il convenait de débattre, des événements culturels à noter même s'ils se déroulaient à trois cents kilomètres, il fallait rire des déboires d'Ernie et prévoir un petit dîner du samedi soir exotique avec des tomates séchées au soleil. J'ai eu la sensation que la vraie vie me passait sous le nez, elle passait en trombe devant la fenêtre pendant que nous lisions, et j'ai happé le journal pour prendre l'offensive. Alors ses yeux marron sont devenus

tellement tristes que je n'avais plus que deux choix :
lui flanquer une beigne ou me mettre à pleurer.

J'ai pleuré, évidemment, de rage. Parce que ce qui
m'agaçait le plus, c'est qu'en général c'était *lui* qui en-
filait ses bottes vertes et partait rejoindre le monde
réel avec les jumelles en bandoulière avant même
que j'aie lu la moitié du journal. "Tu mets toujours
des jumelles entre la réalité et toi", ai-je reniflé, me
sentant terriblement incomprise, de tout le monde,
y compris de moi-même.

Quelques jours plus tard, il me glissa, de but en
blanc, un article sur les tensions prémenstruelles
en me tapotant gentiment la main. Ma première
réaction fut d'en faire une boule et de la lui lancer à
la figure, mais le temps que je passe à l'attaque, il avait
déjà enfourché son VTT dans la cour, et était parti.

Au début, j'étais amoureuse de lui. J'écrivais des
lettres d'amour en hexamètres qui le faisaient sourire.
Je grimpais dans les arbres, sur des branches frêles
pour photographier des nids d'oiseaux pour lui et
j'entrais dans l'eau glacée des ruisseaux et laissais
des sangsues se fixer sur mes jambes quand il en
avait besoin pour ses recherches.

Peut-être parce qu'il était tellement beau. Un teint
chaud et hâlé, un grand corps harmonieux, de magnifiques mains musclées qui étaient toujours occu-
pées à quelque chose. Ça me plaisait que d'autres
femmes le regardent, pour ensuite hoqueter de surprise en voyant ma personne délavée à ses côtés. (Eh
oui ! Je l'ai pêché toute seule, ce gaillard, que ça te
serve de leçon, ma belle !)

Pure esbroufe. Je n'en sais rien, comment j'ai fait pour "l'avoir". En général, je n'éveille pas plus d'intérêt auprès des beaux mecs que le dessin d'un papier peint choisi par un responsable de HLM.

Mais une fois qu'Örjan m'a eue dans son viseur – je travaillais au service informatique de la bibliothèque et je l'aidais à dénicher des magazines zoologiques en anglais –, il sembla méthodiquement se dire que j'étais Sa Femme, la seule qu'il avait l'intention de privilégier désormais. Un peu comme il privilégiait toujours les articles pour la vie au grand air de *Fjällräven*.

Au début, j'avais le sentiment qu'il me testait, une sorte de vaste sondage des consommateurs. Dans la forêt. Au lit. Au cinéma, et pendant la discussion au café après. Sans la moindre aspérité nulle part. Nos opinions s'accordaient comme deux aiguilles qui tricotent le même pull, et nous contemplions avec ravissement le motif qui apparaissait.

Puis nous nous sommes mariés et nous avons pu souffler un peu. L'examen de maturité était passé, place maintenant à l'étape suivante.

Nous étions au stade des sourires devant la vitrine de Tout pour bébé quand il s'est tué. Tôt un matin il s'est fait écraser par un camion alors qu'il partait à vélo observer les jeux des grands tétras. Il écoutait une cassette avec des chants d'oiseaux sur son walkman – soit il n'a pas entendu le camion et s'est déporté, soit le conducteur s'est endormi au volant.

La petite pierre sobre au cimetière est tout ce qui reste. Et je suis furieuse contre lui de m'avoir laissée en plan, sans même avoir discuté la chose avec moi au préalable… Maintenant je ne saurai jamais qui il était.

Je sortis mon calepin du fourre-tout. C'est un petit carnet bleu à la couverture rigide avec la photo d'un voilier sur une mer bleue. J'écrivis :

Evidemment que les bords de la plaie luttent pour se refermer et que l'horloge voudrait qu'on la remonte.

Je sais pertinemment que ce n'est pas de la Poésie que j'écris. J'essaie simplement de saisir l'existence en images. Je le fais pratiquement tous les jours, un peu comme d'autres dressent des listes de choses à faire pour agencer leur quotidien. Personne n'aura jamais à lire mes vers – pas plus que je ne raconte mes rêves aux gens. A chacun sa méthode pour appréhender la vie.

Le Forestier me lorgna un peu timidement. Vas-y, rince-toi l'œil, pensai-je, tu n'as qu'à te dire que je suis une ménagère méticuleuse qui prépare le budget de la semaine.

Juste au moment où je remettais le capuchon de mon stylo-plume (j'ai réussi à en trouver un – la versification se fait de préférence à la plume), une maman et sa petite fille de trois, quatre ans, un arrosoir à la main, se sont arrêtées devant la tombe voisine de celle du Forestier. L'arrosoir était rose vif et brillant, il avait l'air tout neuf, et la petite le portait comme s'il s'agissait des joyaux de la couronne. Sa maman a commencé à s'affairer avec des vases et des fleurs, alors que la petite fille sautillait parmi les tombes et jouait avec son arrosoir. Soudain elle s'est plaqué la main sur la bouche, l'air effaré et les yeux ronds comme des billes :

— Oh maman ! J'ai arrosé le panneau ! Maintenant papi va encore se mettre en pétard !

J'ai senti les coins de ma bouche s'étirer vers le haut et j'ai jeté un œil sur le Forestier. Et juste à cet instant, il m'a regardée.

Lui aussi souriait. Et…

Impossible de décrire ce sourire-là sans plonger dans le monde merveilleux des vieux standards de bal-musette.

Dedans, il y avait du soleil, des fraises des bois, des gazouillis d'oiseaux et des reflets sur un lac de montagne. Le Forestier me l'adressait, confiant et fier comme un enfant qui tend un cadeau d'anniversaire dans un paquet malmené. Ma bouche est restée étirée jusqu'aux oreilles. Et un arc de lumière a surgi entre nous, j'en mets ma tête à couper encore aujourd'hui – un de ces arcs bleus que mon prof de physique produisait avec une sorte d'appareil. Il s'est écoulé trois heures, ou trois secondes.

Puis chacun de nous a tourné la tête pour regarder droit devant, tous les deux en même temps, comme tirés par une même ficelle. Des nuages sont venus voiler le soleil, et derrière mes paupières fermées je me suis fait une rediffusion en boucle et au ralenti de son sourire.

Si Märta, ma meilleure et sans doute seule amie, m'avait parlé d'un sourire comme celui que nous venions d'échanger, le Forestier et moi, je me serais dit que c'était là encore une expression de sa fabuleuse faculté d'embellir la réalité.

Je le lui envie, ce don. Pour ma part, j'ai plutôt tendance à me dire, quand un bébé sourit, que c'est un réflexe. Une étoile qui file n'est sans doute qu'un satellite télé naufragé, le chant des oiseaux est rempli de menaces envers les intrus, et Jésus n'a probablement jamais existé, en tout cas pas à cet endroit et à cette époque.

"Amour" est le besoin de variation génétique de notre espèce, sinon il suffirait qu'il y ait des femelles qui se multiplient par parthénogenèse.

Bien sûr que je suis au courant des forces incroyables qui s'agitent entre les hommes et les femmes. L'ovule baigne là dans notre ventre et tout ce qu'il veut, c'est être fécondé par un spermatozoïde convenable. Dès qu'il y en a un qui approche, la machinerie hoquète et se met en branle.

Mais je n'étais pas préparée à ce que l'enveloppe du spermatozoïde ait un tel sourire ! L'ovule se mit à frétiller en moi, à bondir, à clapoter, à faire des sauts périlleux et à envoyer des signaux : "Par ici ! Par ici !"

J'eus envie de lui crier : "Assis, pas bouger !"

Je détournai la tête du Forestier et jetai un regard discret sur sa main posée sur le banc. Il n'arrêtait pas de tripoter un porte-clés Volvo avec ses trois doigts.

A la place de l'annulaire et de l'auriculaire, il n'y avait que les jointures de l'articulation. Ses mains étaient encrassées de terre et peut-être de fuel, et les veines sur le dos de la main étaient gonflées. L'envie me prit de renifler ses mains et de frôler les jointures avec mes lèvres.

Bon sang, il fallait que je me sauve d'ici ! C'est ça qui arrive quand une femme adulte vit sans homme pendant quelque temps ?

D'un bond, je me suis levée, j'ai attrapé mon fourre-tout et je me suis mise à courir tout droit vers les grilles, en sautant par-dessus les pierres et les bordures.

4

J'ai pris du retard avec la compta. J'ai l'impression que tout est en train de se déglinguer, je me demande si ce n'est pas pour ça que j'hésite à m'attaquer à la paperasse et aux factures. La pile de papiers qui déborde du vieux secrétaire de papa me semble explosive, comme s'il y avait une putain de petite lettre de la banque en train de faire tic-tac là-dedans, une lettre m'annonçant que le découvert autorisé est largement dépassé. Je n'ose presque plus répondre au téléphone aux heures de bureau, des fois que ce serait eux.

Je n'ai jamais été très doué pour l'argent, ni pour la paperasserie. Maman s'y entendait. Elle marmonnait devant le secrétaire et de temps en temps elle se retournait, elle me regardait par-dessus le bord de ses lunettes et posait une question facile :

— Est-ce qu'on tiendra avec la semence qui nous reste ? Est-ce que tu as payé le vétérinaire ?

Tout le reste, c'est elle qui s'en chargeait. Et je n'avais qu'à lui dire combien il me fallait en liquide, elle ne posait jamais de questions, même pas quand je m'étais mis en tête d'acheter un bracelet en or à

Annette avec qui je sortais à l'époque. Annette me cassait tout le temps les oreilles avec ces gourmettes épaisses qu'elle adorait, c'est presque la seule chose d'elle dont je me souviens.

Vers la fin, maman m'a dit un jour que je devrais laisser le centre de gestion s'occuper de tout. Elle pensait à ces choses-là, bien qu'elle soit sous perf. A cause de la perf, elle était obligée de réclamer le bassin sans arrêt, et ça la gênait terriblement. Je disais toujours que j'avais envie d'aller fumer une clope quand l'aide-soignante le lui apportait. Et je n'avais pas le cœur de lui dire que je n'aurais probablement pas les moyens de me payer un centre de gestion, les rentrées du lait semblaient baisser de mois en mois.

D'ailleurs, ça ne s'appelle même plus centre de gestion, et les jeunes loups qui y entrent ressemblent tous à des agents de change. Je ne me sens pas à ma place dans leurs bureaux.

Maman avait tendance à s'énerver contre son cancer qui l'empêchait d'être debout et de se rendre utile. La chimiothérapie l'éteignait comme on souffle une bougie, mais dès que j'arrivais, elle prenait son air "Désolée ! Ah quelle poisse ! Bon, tu m'excuseras !"

Merde, la voilà encore, la beigeasse ! Elle n'a rien d'autre à foutre ? On dirait une vieille fille qui s'occupe comme elle peut en attendant d'épouser le sous-directeur. Je la vois tout à fait à la Banque coopérative !

Elle s'assied et me reluque comme si j'étais un chèque en bois – un truc pénible, mais pas son problème.

Puis elle pousse un profond soupir et tire une sorte de cahier d'un gros sac à fleurs. Elle dévisse méticuleusement le capuchon d'un stylo – un stylo-plume ? je ne pensais pas qu'on s'en servait encore depuis l'invention du Bic – et elle se met à écrire, lentement et méticuleusement.

Ça éveille évidemment ma curiosité, terriblement. Qui est cette femme qui prend des notes devant une tombe ? Est-ce qu'elle tient le registre des maris qu'elle a tués ? Tout à coup elle me lorgne et j'entends un bref reniflement autoritaire : elle a vu que je l'observais. Pour me venger de son attitude arrogante, j'essaie de me l'imaginer avec une perruque de boucles synthétiques turquoise et des bas résille. Des seins laiteux, fortement comprimés, jaillissent d'une guêpière en vinyle noir et brillant. Je lui laisse les cils blancs et le ridicule bonnet de feutre avec des champignons.

Le résultat est tellement insensé que je me prends en flagrant délit de la dévisager, un grand sourire collé sur la tronche. Elle me jette un regard en retour – et avant que j'aie eu le temps de reprendre ma tête habituelle, elle me rend mon sourire !

C'est-à-dire – est-ce que c'est vraiment elle ?

La femme beige, celle qui se recueille devant une vieille pierre grise en pinçant ses lèvres pâles, elle peut donc sourire ainsi ?

Comme une gamine en vacances, ou comme une môme devant son premier vélo. La même risette heureuse et totale que la petite fille avec son arrosoir rose devant l'autre tombe.

On n'en sort pas, le mécanisme se grippe. Chacun de nous s'est mis en phares et aucun ne cède face à l'autre.

C'est quoi ce truc ?

Est-ce que je suis censé faire quelque chose ? Dire "Vous venez souvent ici ? Pas mal de monde aujourd'hui – qu'est-ce que vous pensez de la chapelle ?" ou commencer à lui faire du genou ?

Puis quelqu'un débranche la prise et on détourne la tête, tous les deux.

Un moment, on reste aussi immobiles que si le banc était miné. Puis je me mets à tripoter mes clés pour ne pas m'effriter totalement.

Je vois du coin de l'œil qu'en douce son regard bloque sur ma main. Ça fait des années que je m'entraîne à ne pas la cacher dans ma poche quand les gens matent. Je ne le fais pas maintenant non plus. *Benny-trois-doigts, c'est moi. C'est à prendre ou à laisser, poupée !*

Elle choisit "à laisser", ha ha. Se lève et part en trébuchant comme si j'avais l'intention de lui mettre mes trois malheureux doigts aux fesses. Pourquoi est-ce qu'elle à l'air en rogne comme ça ?

Je suppose que c'est Benny le Danseur de tango qui a refait surface.

Ça m'arrivait tout le temps à l'époque où j'étais sans arrêt à la recherche de nanas. Il faut savoir que je prenais la direction que ma bite indiquait et elle indiquait toujours des nanas, comme une baguette divinatoire, il n'y avait qu'à la suivre. Vers les pistes de danse de plein air, en été. L'hiver, jusqu'au dancing d'un patelin quelque part, même si parfois il fallait se déplacer à l'autre bout du pays. De grandes salles des fêtes tristes, éclairées aux néons, où l'école municipale organisait des séances de gym en semaine et la Ligue contre l'alcoolisme ses réunions le soir. Le vendredi et le samedi, ils mettaient un peu de papier crépon autour des tubes de néon et faisaient venir un orchestre de bal. Je n'allais que très rarement dans les discothèques en ville – d'une part parce que je n'avais plus aucune notion de ce qui était branché, je m'en étais rendu compte en croisant des gens avec la casquette à l'envers, et d'autre part parce que j'estimais que se trémousser *à distance* était du gaspillage d'énergie. Je voulais enlacer. J'adorais tenir une fille par la taille et l'emmener sur la piste de danse, c'était comme de tirer des billets de loterie gagnants à tous les coups. Elles sentaient si bon et je les trouvais si incroyablement mignonnes, toutes. Je tombais dans le panneau chaque fois, et je ne voulais pas les lâcher à la fin du morceau. Et je ne tenais surtout pas à essayer de couvrir l'orchestre en parlant. Seulement les tenir dans mes bras et les renifler, glisser sur la piste et fermer les yeux.

Il ne me venait jamais à l'esprit que je pouvais tout simplement me servir – la dernière année au lycée un tas de filles me faisaient les yeux doux, mon prénom était gravé un peu partout sur leurs tables. Mais je n'avais pas vu beaucoup de nanas depuis que j'avais repris la ferme, et comment est-ce qu'on se rend compte que le temps passe ?

Je ne voyais pas à quel point j'étais à côté de la plaque.

Ça se passait toujours bien pour commencer. Je piétinais un peu au gré de ma fantaisie, et les nanas sont douées en général pour garder leurs pieds à l'abri. Parfois ça allait plus loin que ça, elles bougeaient de façon totalement irrésistible au rythme de la musique et on se mettait au diapason, c'était génial. A la fin du morceau, elles me lorgnaient du coin de l'œil pour savoir ce que j'allais faire, et j'étais là à les regarder avec un sourire béat aux lèvres, et je ne disais jamais : "Tu viens souvent ici… comment tu trouves l'orchestre… beaucoup de monde ce soir…" comme on est supposé le faire. Je n'ai rien contre les banalités, ça maintient la chaleur humaine, mais ce n'est pas vraiment mon truc. Certaines nanas se dégageaient après quelques morceaux et retournaient à leur place – les filles s'agglutinaient toujours du même côté de la salle. Mais la plupart continuaient à danser.

Une fois, j'ai ouvert la bouche et dit : "Qu'est-ce qui te rend heureuse ?" à une nana. Ça m'avait trotté dans la tête pendant qu'on dansait.

— Me rend quoi ? a-t-elle crié pour couvrir le brouhaha.

— Heureuse ! Qu'est-ce qui te rend… Et merde, laisse tomber !

Je l'ai remorquée en vitesse jusqu'au groupe de filles, les oreilles écarlates.

Mais le pire que j'ai vécu, c'est une fois où j'ai dansé cinq morceaux à la suite avec une fille, ça s'est fait tout seul, elle sentait divinement bon. Après le cinquième morceau, je me suis penché et j'ai flairé le creux de son cou, sans réfléchir.

Elle a tout de suite fait trois pas en arrière. Est-ce qu'elle m'a pris pour un vampire ? J'imaginai mes ratiches inoffensives élevées au fluor s'étirer en crocs pointus et je n'ai pas pu m'empêcher de sourire, un grand sourire. Alors elle a sifflé comme un cygne en colère, puis elle a pivoté sur ses talons et elle est partie.

Plus tard, je me suis retrouvé derrière elle dans les vestiaires : "C'était quoi, ce danseur de tango ?" disait sa copine. "Oh, je crois qu'il était soûl", disait-elle. "Tu as vu ce sourire crétin ? Et il n'a pas dit un mot, pas un."

Danseur de tango. Ça fleure la chemise en soie et l'excès d'after-shave. Un garçon qui en fait trop.

Benny le Danseur de tango. Qui fout la trouille aux gens avec son sourire assassin. C'est sans doute pour ça qu'elle s'est sauvée, la femme beige.

Mais... elle a souri aussi, non ?

5

Jour après jour
face à face
avec des miroirs fêlés
et des PV triomphants sur les pare-brise

Quand je lis mes notes dans le calepin bleu de cet automne-là, je me dis que je traînais peut-être une sorte de déprime, au sens clinique du terme.

Dans la salle du personnel à la bibliothèque, je faisais rire aux larmes mes collègues avec mes blagues quasi hystériques, j'adorais voir couler leur maquillage. Tout me semblait soudain normal alors, et c'était moi qui m'amusais le plus.

En rentrant chez moi en fin d'après-midi avec mon sac du supermarché, je m'arrangeais pour avoir toujours quelque chose à faire. Je composais une nature morte de légumes frais sur un plat en céramique danois, j'arrosais mes boutures, choisissais soigneusement un air d'opéra fougueux, mais pas trop, à écouter le volume poussé à fond, j'allumais le candélabre au bord de la baignoire et prenais des bains interminables pendant que l'odeur de lavande du diffuseur de parfum se répandait dans ma salle de bains immaculée.

Cet automne-là, je lisais des autobiographies et de la littérature fantastique, dans le meilleur des cas ça avait un effet soporifique – comme d'entrer dans d'autres mondes. Et à la fin des livres, je me retrouvais épuisée et grelottante dans un coin du canapé, comme rejetée sur une plage après un naufrage. Les biographies et les mondes fantastiques me demandaient : pourquoi vis-tu, et que fais-tu de la vie qui est si fragile, ingérable et brève ?

La nuit, j'avançais différentes réponses dans mes rêves. Une fois, j'étais déesse, j'évoluais dans un bâti à claire-voie, et du bout de mes doigts jaillissaient toutes sortes de vies : des plantes grimpantes charnues et luxuriantes, et des corps d'enfants dodus.

D'autres jours semblaient avant tout composés de pluie mêlée de neige et d'une attente interminable à l'arrêt de bus. J'augmentai les versements à mon épargne-retraite et je fis mon testament – si Örjan avait choisi Fonus pour ses obsèques, la moindre des choses était de l'y suivre. De tels jours, je classais de vieux reçus dans des dossiers, j'achetais des boîtes Ikea idéales pour encombrer mes placards et je triais de vieilles diapositives – des photos qui ne semblaient pas plus importantes que les feuilles mortes de l'année précédente.

Je me masturbais souvent. Les hommes dans mes fantasmes étaient tous rustiques, au menton rugueux et aux mains calleuses. Au-dessus du menton, ils étaient dépourvus de visage.

Märta était ma bouée de sauvetage, mon ancrage dans la vie. Elle pouvait surgir comme un ouragan dans ma salle de bains et agiter deux tickets de cinéma jusqu'à ce que je sorte de la baignoire, souffle les bougies du candélabre et vienne avec elle. Après, nous restions vautrées chacune dans son canapé chez moi, à passer en revue pêle-mêle les détails du quotidien et le sens de la vie, depuis le dernier canular de son chef névrotique jusqu'à une critique exacerbée de la vision des femmes chez saint Augustin.

Märta répandait autour d'elle une chaude odeur de pain, d'eau de parfum et de cigarillos. Elle partageait sa vie de façon intermittente avec une Passion du nom de Robert, et parfois quand il s'absentait pour un de ses mystérieux voyages d'affaires, Märta et moi vidions une bouteille de porto blanc, puis elle restait dormir sur mon canapé. Le matin, échevelées et le visage bouffi, nous nous livrions à de paisibles disputes marmonnées, Märta dans la vilaine robe de chambre d'Örjan que je n'ai pas pu me résoudre à jeter. Plus d'une fois nous avons regretté de ne pas être lesbiennes – j'aurais pu envisager de vivre avec quelqu'un comme elle, et de son côté elle trouvait souvent le poids de Robert un peu trop lourd à porter.

Une nuit, je lui ai parlé du Forestier et de son sourire inexplicable. Elle s'est redressée dans le canapé, à mouillé son index avant de le brandir en l'air.

— Quelque chose est en route ! s'est-elle exclamée, ravie.

6

Une vie solitaire, sans famille ni enfants – ça se ressent peut-être plus douloureusement quand on est agriculteur avec un certain nombre d'hectares de terre cultivable, plus de la forêt.

Pour qui est-ce qu'on la plante, cette forêt qui ne sera exploitable que trente ans plus tard ? Pour qui est-ce qu'on met les champs en jachère pour accorder un répit à la terre et éviter qu'elle ne s'épuise à la longue ?

Et qui allait m'aider pour les foins ?

Je me suis agrippé de mon mieux aux résultats mensuels du contrôle laitier. Les chiffres étaient en hausse constante, meilleur rendement et moins de bactéries. J'ai programmé d'améliorer la fertilisation, j'ai fait subir un lifting à la laiterie et je me suis procuré un nouveau tank à lait. J'ai acheté un tracteur équipé de roues jumelées, ce n'était pas vraiment vital, juste un petit besoin de ressentir une embellie dans ma vie.

Ça peut paraître idiot, mais j'ai commencé à rester dehors à travailler de plus en plus tard le soir. Pas envie d'affronter le silence compact et médiocre de la maison. Elle avait un faible relent de déchéance et de dépérissement – si bien qu'un jour en semaine je suis allé en ville acheter une radiocassette monstre, une sorte de gros cigare noir, que j'ai placée bien en vue sur la paillasse.

La première chose que je faisais toujours ensuite en rentrant le soir, avant de passer sous la douche, c'était de mettre à fond une station commerciale. Les voix excitées que déversait la radio me faisaient sentir que quelque part la vie se déroulait malgré tout, et ainsi un petit filet se répandait jusque dans ma vieille cuisine fatiguée. Pour autant, je n'ai pas pu me résoudre à jeter la vieille radio marron en bakélite, avec sa toile jaunâtre sur le devant, que papa avait offerte à maman pour un anniversaire de mariage dans les années cinquante – parfois je la branchais, en coupant le son, parce que le chat aimait bien s'allonger dessus quand le boîtier devenait chaud.

Je faisais des machines sans trier le linge, tout prenait une teinte gris-bleu. Il m'arrivait de feuilleter la partie Loisirs du *Pays* et je découvrais des gens qui se construisaient des vérandas avec des fioritures en bois découpé et faisaient leurs propres saucisses. Qu'est-ce qu'on en avait à foutre que la véranda paraisse cossue, après tout ce n'était qu'un endroit où défaire ses bottes et poser les caisses de bouteilles de bière vides ! Et acheter des saucisses, ça prenait deux secondes trois quart à Konsum quand on faisait les courses de la semaine.

J'avais vaguement le projet de nettoyer le vieux frigo. Il y avait de la bouffe tellement périmée dedans qu'on ne voyait même plus ce que c'était. Les pots de confiture avec l'écriture de maman sur l'étiquette avaient une couche épaisse de moisissure velue sur le dessus. Si je les jetais, ce serait comme jeter maman.

Bien sûr, j'aurais pu participer à des cours du soir et Rencontrer du Monde. Notre section locale de la Confédération des agriculteurs proposait une série de conférences, "Connaître sa ferme", qui à immédiatement été rebaptisée "Incendier sa ferme", apparemment c'était ce qu'il y avait de plus rentable à faire. J'y suis allé une paire de fois au début et j'y croisais exactement les mêmes têtes que je croise à l'Union coopérative, chez Göte Nilsson, le concessionnaire de tracteurs, et à la fête de Noël du cercle de la Conf'.

Sauf qu'à cette dernière ils venaient avec leurs femmes, je dansais avec elles et laissais ma main s'aventurer par-ci, par-là. Alors il arrivait parfois qu'une des épouses se mette à respirer plus vite et à onduler du bassin, j'étais tout gêné et je jetais des coups d'œil en direction du mari. Plus tard dans la nuit, on sortait entre hommes téter la bouteille que quelqu'un avait apportée, et on racontait des blagues cochonnes, la fille du paysan et le voyageur de commerce, et ce que la bonne disait au valet de ferme. On devenait larmoyants et on se disait qu'on avait beau être les gérants de la terre, tout ce qu'on récoltait, c'était de la merde.

Ensuite la fête tirait sur sa fin et ceux qui étaient mariés dansaient le dernier morceau ensemble, et nous autres on restait sur le pas de la porte à se chamailler au sujet de boues d'épandage ou de l'UE. Ensuite il y avait toujours quelqu'un dont la femme n'avait rien bu parce qu'elle devait se lever aux aurores pour aller travailler à l'hôpital, et ils me raccompagnaient chez moi. Si je n'étais pas trop soûl, je fantasmais sur une des femmes avec qui j'avais dansé un slow serré, tout en gardant à l'esprit que je devais me lever à six heures, parce que je n'avais pas les moyens de me payer un remplaçant.

Et eux, pensais-je, ils rentrent à leurs foutues vérandas avec les fioritures en bois et bordent leurs mômes qui dorment, et demain elle lui préparera du café fort pour l'aider à démarrer, puis elle mettra en route une pâte à pain et elle fera des saucisses. Et ma vie à moi, quel putain de sens est-ce qu'elle a ?

Je n'ai pas honte d'avouer que j'ai même écrit à une de ces agences qui devait m'envoyer une Philippine sur prospectus. Mais quand j'ai reçu leur brochure, une simple feuille polycopiée en fait, avec des photos vulgaires en noir et blanc, j'ai failli dégueuler. Je me suis soudain demandé ce qu'elle aurait pensé, la femme beige du cimetière, si elle m'avait vu en train de tourner et retourner la photocopie. Je crois que je n'ai jamais eu un tel cafard de toute ma vie.

7

Parcmètres
date limite de consommation
dernier délai de paiement
métastases du corps social

Pendant quelque temps, ce fut pesant d'aller sur la tombe d'Örjan. Avec le froid qui arrive, me suis-je dit, à force de rester assise sur ce banc, je vais choper une salpingite. C'est un risque à prendre, ont rétorqué mes ovaires, on voudrait jeter encore un coup d'œil sur ce Forestier.

Un jour, je me suis levée en pleine réunion de budget prévisionnel à la bibliothèque pour me précipiter au cimetière.

Le Forestier n'y était pas, évidemment. D'ailleurs, je n'étais même pas sûre de le reconnaître, s'il portait d'autres habits et s'il avait l'air sérieux.

Par contre, j'aurais reconnu le sourire. N'importe où.

J'étais désolée pour Örjan, mon beau, mon brun et bienveillant Örjan. Sa femme vient sur sa tombe, certes, mais elle a la tête ailleurs ! Cela dit, si les rôles avaient été inversés, si c'était moi qui étais enterrée là et Örjan qui occupait le banc, je suis sûre qu'il aurait eu ses jumelles pour observer les oiseaux.

Mon béguin pour lui avait disparu avant même qu'on se marie. Il s'était évaporé comme disparaît un bronzage – qui se rend compte de ces choses-là ? Mais contrairement au bronzage, il n'est jamais revenu. Il y avait des périodes avant le mariage où je me tordais les mains et flairais quelque chose au-delà des montagnes que je ne verrais jamais, en tout cas pas avec Örjan.

C'était une période éprouvante pour Märta. Des bassines de thé jusqu'à trois heures et demie du matin.

— On ne peut pas rester amoureux éternellement, pas vrai ? La flamme est remplacée petit à petit par l'Amour, non ? Par quelque chose de durable sur lequel on peut miser ? Un Amour qui est une amitié chaleureuse, plus le sexe ? me lamentai-je.

Seigneur, ça m'étonne qu'elle ne m'ait pas vomi dessus ! Des livres de thérapie sur l'Amour, elle en avait aux W.-C., des pages à arracher en cas de besoin.

— Dur, hein, de se convaincre soi-même, dit-elle seulement, impassible, en me lorgnant par-dessus l'un de ses cigarillos. Le principe de Märta était Ecoute ton cœur.

— Örjan, il a tout, insistai-je.

— Selon l'Institut de la consommation ? siffla Märta. *Best in test*, trié sur le volet parmi les hommes de la tranche d'âge 25-35 ? Mais est-ce qu'il existe réellement ? Il n'est peut-être qu'un prototype ? Est-ce que tu as vérifié qu'il ne fonctionne pas avec des piles ? Tu sais, si tu entends un petit bourdonnement dans son oreille…

Peu après, la Passion Robert vendit la voiture de Märta et partit à Madagascar avec l'argent, sans elle. Le visage de Märta alla à vau-l'eau pendant quelque temps, mais elle réussit à récupérer ses traits en haïssant Robert, en versant quelques larmes, en travaillant comme une folle, puis en rehaïssant un peu avant d'aller au lit. Et quand il revint, bronzé et magnifique, elle lui ouvrit ses bras au bout de trois semaines.

Ainsi, la question était tranchée. Si c'était cela qu'on trouvait au-delà des montagnes, eh bien très peu pour moi.

Et je me suis attaquée à la mission d'être une Epouse Epanouie. Au bout de six mois, nous avions un mariage aussi confortable qu'une paire de pantoufles qui s'est faite à vos pieds. Nous partagions de façon solidaire les dépenses et les tâches ménagères, nous donnions des dîners pour nos collègues avec du demestica bien frais et de la véritable feta *bulgare*, nous décapions des meubles chinés chez les brocanteurs et chacun découpait des articles de journaux qui pouvaient intéresser l'autre.

Notre vie dans le lit double était un peu problématique et nous étions d'accord pour mettre cela sur le compte de mon enfance pauvre du point de vue sensuel. Örjan se donnait beaucoup de peine avec des préludes qui ne duraient jamais moins d'une demi-heure et moi, je restais sèche comme du papier de verre numéro cinq, c'est dire si nous grincions.

Bien sûr que je n'ai jamais connu Örjan.

Ce n'est pas qu'il gardait les choses secrètes – sur demande, il énumérait gentiment tout ce que je voulais savoir, depuis ses sympathies pour tel parti politique jusqu'au nom de jeune fille de sa mère. Mais…

"Les personnes sur les photos n'ont aucun rapport avec le contenu de l'article", peut-on lire parfois dans les magazines. Voilà qui résumait en quelque sorte Örjan. Si bien que je cessai de poser des questions.

Il ne demandait pas grand-chose lui non plus, et quand il le faisait, on voyait s'afficher *JE MANIFESTE DE L'INTÉRÊT* sur son front. Si bien que je cessai aussi de répondre. Ce qui n'a pas semblé le déranger beaucoup.

Les moments où nous nous sentions le plus proches, c'était quand nous parlions d'amis et de connaissances qui divorçaient après des séances houleuses chez le conseiller conjugal. Nous adorions passer en revue leurs erreurs et les retourner en tous sens. Il nous arrivait alors parfois d'aller nous fourrer sous la couette à la housse design, et je grinçais moins que d'habitude.

Mais Örjan avait beau s'échiner sur mes zones érogènes, jamais, jamais un ovule ne faisait de sauts périlleux dans mon ventre.

Je commençais à vraiment me geler les fesses sur le banc du cimetière et je suis partie. Aucun Forestier aujourd'hui, ha ha ! Les deux fois suivantes, il n'y était pas non plus.

La troisième, je l'ai croisé à la grille d'entrée en partant. Il portait de menues branches de sapin, une petite couronne funéraire avec des arums en plastique et une lanterne de la Toussaint. Mais oui, c'était le jour des Morts ! Il m'adressa un hochement de la tête avec l'austérité d'un vieil instituteur comme s'il pensait : "Et alors, jeune fille ? Où elle est, ta lanterne ?"

Je pensai à Märta et sa Passion. C'était ça, le début ? Quand, sans le vouloir, on changeait de direction, quand les pieds et les ovaires se mettaient à vivre leur propre vie ?

Couronne avec fleurs en plastique ! Ça ferait bien rire Örjan – oui, Örjan savait rire !

Je n'allai pas au cimetière la semaine suivante. Mes pieds et mes ovaires avaient besoin d'être domptés, sinon ça allait tourner au ridicule.

Olof, bibliothécaire en chef et nouveau divorcé, m'a demandé si je venais manger un morceau après le boulot. Nous sommes allés dans un pub récemment ouvert, décoré avec soin dans un style qu'aucun authentique pub anglais n'a affiché depuis les années trente. Olof a une mèche poivre et sel qui fait petit garçon et qui lui tombe sur le front quand il s'excite, et de longues mains blanches qu'il bouge de façon très élégante en parlant. Je crois que c'est une habitude qu'il a prise quand il était à la Sorbonne dans sa jeunesse.

Nous avons mangé des brochettes d'agneau, j'ai bu du vin et Olof une bière belge trouble dont il a longuement parlé tout en rejetant sans cesse sa mèche en arrière. Ensuite nous avons discuté Lacan et Kristeva et les chœurs grégoriens, puis nous sommes rentrés chez moi faire l'amour. Ça paraissait tout à fait normal, j'étais au régime sec depuis tellement longtemps.

Mais ça non plus, ça n'a pas fait frétiller mes ovaires.

Nous nous sommes relevés et douchés et nous avons bu tout mon Pernod, il m'a montré des photos de ses deux enfants et raconté dans le détail la correction dentaire de sa fille. Puis il a pleuré. Je crois que nous avons été tous les deux soulagés quand il est parti.

Ensuite je n'ai pas pensé au Forestier pendant plusieurs jours. C'est apparemment la bonne tactique pour remettre ses ovaires en place. On se prend un amant d'un soir de temps en temps, juste pour maintenir le système en bon état de fonctionnement. Mon intérêt pour le Forestier n'était que les symptômes d'une carence, un peu comme un manque de vitamine B qui se traduit en ongles cassants. Quelques comprimés de levure, et tout rentre dans l'ordre.

8

Le blaireau de service, c'est moi, le Blaireau National. Je terminerai empaillé au musée de Skansen parmi les autres spécimens du folklore local. Je m'en rends compte chaque fois que je vais en ville, et assez souvent aussi entre-temps, quand je regarde la télé par exemple. Le XXe siècle n'est pas vraiment mon siècle, en tout cas pas cette dernière moitié. Et cela vaut aussi bien pour les opinions que pour l'allure générale.

Je vis à la campagne et je m'habille avec des vêtements choisis à la va-vite dans le catalogue de Haléns VPC. Trente-six ans, c'est l'âge où on vire vieux garçon dans notre village. Désormais les femmes me regardent rarement une deuxième fois. Le déclin a été constant, alors qu'à une époque j'étais champion de javelot à l'école… il y a vingt ans de ça ! Seigneur, où est-ce qu'elles sont passées, toutes ces années, un quart de vie écoulé sans que j'aie eu le temps de lever le nez du registre d'élevage !

Mais ce ne sont pas seulement les vêtements qui font de moi un Blaireau, des comme moi, il y en a beaucoup à la campagne et ils s'en portent très bien.

Ça tiendrait plutôt au fait qu'avec le temps j'ai un comportement qui me fait paraître légèrement débile, je n'exagère rien. Aucun savoir-vivre. Je suis sans doute resté trop longtemps avec les vaches pour seules interlocutrices.

Comme avant-hier, par exemple. C'était la Toussaint. A chaque Toussaint depuis la mort de papa quand j'avais dix-sept ans, maman et moi allions au cimetière allumer une lanterne sur sa tombe. Maman achetait toujours une couronne avec des pommes de pin ou des arums, en plastique pour qu'elle dure longtemps, parce que nous n'avions pas le temps d'aller au cimetière très souvent. A présent, maman aussi est enterrée là, et j'ai voulu lui offrir une de ces couronnes.

J'ai rencontré la beige à la grille d'entrée. J'ai eu l'impression qu'elle me regardait bizarrement, comme si elle avait peur que le Danseur de tango lui décoche de nouveau son sourire de dément. Alors je me suis composé un visage tout en lourdeurs et plis, j'ai hoché la tête et passé mon chemin.

Mais ensuite.

On m'aurait frappé entre les deux yeux que ça aurait été pareil.

J'ai été déçu qu'elle parte ! Pendant plusieurs semaines, j'avais trouvé chouette d'avoir le banc tout seul pour moi et mes méditations. Mais maintenant je la voulais à côté de moi. Je voulais savoir où elle allait, après le cimetière.

J'ai fait demi-tour et j'ai commencé à la suivre, à distance. A me voir cavaler comme ça avec ma

couronne funéraire et ma lanterne, les gens se retournaient sur mon passage, surtout que de temps à
autre je plongeais derrière une voiture en stationne-
ment quand j'avais l'impression qu'elle allait regarder
en arrière.

Elle ne l'a pas fait une seule fois. Elle a traversé
la moitié de la ville d'un bon pas et elle est entrée
à la bibliothèque.

J'en étais sûr. Elle a tout l'air de quelqu'un qui lit
sans arrêt et de son plein gré. De gros livres, avec
des petits caractères et sans images.

Ne sachant pas quoi faire, je suis resté planté
devant l'entrée. Même le Blaireau National pouvait
comprendre qu'on n'entre pas dans une bibliothèque
en brandissant une couronne funéraire et une lanterne
de la Toussaint. J'ai eu une vision de moi-même
posant la couronne sur l'étagère à chapeau et la
lanterne devant le comptoir des prêts avant de demander à l'accueil si quelqu'un avait vu une fille beige.

Elle allait sans doute bientôt en sortir, avec un
gros sac rempli de livres, sa ration quotidienne ?
Mais ça allait prendre combien de temps ? Je m'étais
déjà fait repérer par plein de gens. Le Blaireau National les a gratifiés de son sourire de Danseur de
tango le plus éblouissant en agitant poliment la lanterne. Regardez, je suis totalement inoffensif ! En
permission, c'est tout !

Soudain j'ai fait volte-face et me suis mis à courir
à travers la ville, jusqu'au cimetière.

Les gens se sont tout autant retournés sur mon
passage.

Pourquoi il court comme ça, celui-là, avec sa couronne funéraire, qu'est-ce qui se passe, il y a un mort quelque part ?

Saloperie de bonne femme !

9

Je rêve d'un parfum de pommier en fleur –
toi, tu trébuches sous le poids des paniers
Qui de nous deux s'y connaît en pommes ?

— Pour toi, ça peut aller, dit Liliane sur un ton plein de sous-entendus. C'est ma collègue à la bibliothèque, celle que je préfère éviter quand elle passe en trombe dans un crépitement de talons aiguilles, les bras chargés de rien en particulier qu'elle trimballe partout, l'air très occupé. Elle est toujours exténuée, elle ne termine jamais rien, et elle veille jalousement à ce que personne n'aille trouver un plaisir dissimulé à travailler.

— Evidemment, soupira-t-elle en triturant son foulard Kenzo pour en faire une cordelette. Je veux dire, toi, tu peux te dégager des soirées. Tu peux t'investir dans ton boulot.

Elle le disait de façon presque agressive, comme si elle insinuait que je trichais forcément quelque part. Adulte et sans famille, briseuse de grève dans la vie féminine.

Quelle garce ! Elle qui avait l'habitude de pencher la tête sur le côté et de me demander, "toi qui n'as pas de famille", de lui prendre ses heures du soir et du dimanche.

Je venais d'obtenir le poste de responsable de la section Jeunesse de la bibliothèque. Probablement parce qu'au cours de ces dernières années j'avais instauré plein d'activités pour les enfants. L'Heure du conte, des ateliers de théâtre, des foires aux livres pour enfants et des expositions de dessins d'enfants. Madame Lundmark, qui en avait été la responsable jusque-là, prendrait bientôt sa retraite et elle voulait passer à temps partiel. Pour elle, la référence de la bonne littérature enfantine était toujours *J'apprends à lire* de l'école d'antan, et ça faisait un bon bout de temps qu'elle avait perdu la flamme. Souvent nous ne la voyions même pas, elle passait son temps dans les archives à la cave. Que je donne un coup de fraîcheur à sa vieille section poussiéreuse l'arrangeait bien et elle me laissait faire, bien que ce ne soit pas mon travail. Et je l'ai fait parce que secrètement je suis terriblement fascinée par les enfants.

Oui, secrètement ! Ouvertement, ce n'est pas possible quand on est une veuve sans enfants de presque trente-cinq ans ! Si j'avais simplement pris un môme sur mes genoux, toute la gent féminine de mon entourage – sauf Märta – m'aurait prise en pitié, avec délectation, et je n'avais pas du tout envie de leur offrir ce plaisir-là. Elles se seraient dit qu'en tout cas *elles* n'étaient pas sans enfants, même si elles suivaient une thérapie familiale et/ou étaient divorcées, obligées de travailler à mi-temps et pauvres comme Job. Elles se plaignaient que leurs mômes les empêchaient de dormir la nuit, qu'ils se chamaillaient tout le temps, qu'ils vomissaient dans la voiture et refusaient de faire leurs devoirs, et elles se lamentaient sur le prix du lait, des baskets et des leçons d'équitation. Et il fallait qu'elles partent en avance parce que Per avait de la fièvre et Fia rendez-vous chez le dentiste. Ou alors c'était leur tour de rendre la ville plus sûre en sillonnant les rues le soir avec les Patrouilles de parents, quand elles ne filaient pas de réunions de parents d'élèves en stages de danse japonaise. "Les heures sup', c'est pas un problème pour toi, disaient-elles. Tu en as de la chance, toi !"

Si bien que parfois je retournais au boulot le soir pour faire des heures sup' en cachette ! Parce que j'aimais tant tous ces dessins d'enfants loufoques. Et j'organisais des Heures du conte uniquement pour pouvoir regarder en douce les enfants qui écoutaient. Les yeux éveillés, la bouche à moitié ouverte, le corps tourné vers le conte comme une fleur vers le soleil.

J'étais voyeur d'enfants.

Difficile à gérer, parce que si nous, les sans-enfants, manifestons de l'intérêt pour les enfants, les Véritables Parents le ressentent comme une provocation, semble-t-il. "Si tu savais, soupirent-ils. Parfois on a carrément envie de les balancer par la fenêtre."

A priori, leurs intentions ne sont pas mauvaises.

Bien sûr, je sais : c'est le tic-tac de l'horloge biologique qui essaie de se faire entendre ! Märta non plus n'a pas d'enfants, puisque sa Passion ne veut absolument pas retomber dans le piège. Il travaille durement à se dérober aux pensions alimentaires qu'il doit verser pour les trois rejetons qu'il a déjà, avec des mamans différentes. Märta disait un jour avec un sourire en coin que les parents ne devraient pas être autorisés à avoir des enfants, parce qu'ils ne savent pas les apprécier.

Nous, si. Mais nous n'avions effectivement jamais à nettoyer du vomi dans la voiture.

— Eh bien, moi, je n'aurais jamais pu devenir responsable d'une section, dit Liliane. Une catastrophe par semaine à la maison, au moins, probablement jusqu'à ce que le petit dernier fasse son service militaire. Et puis tu seras augmentée. Tu grimperas peut-être jusqu'à l'échelon d'un agent d'entretien des espaces verts, sans l'ancienneté. Tu pourras rembourser ton emprunt d'étudiant avant de mourir ! Moi, je ne peux même pas me payer des séances de Weight Watchers – mais ce n'est pas grave, de toute façon je n'ai pas de quoi m'acheter à manger non plus, ha ha ! J'imagine que c'est Olof qui t'a recommandée.

D'un seul trait, elle avait réussi à me mettre sur le dos la disette de ses mômes et à laisser entendre que j'avais couché pour obtenir ce boulot. Bien joué, Liliane ! Maintenant tu peux dire adieu à tes dimanches libres !

Horloges biologiques. Je me les imagine comme d'énormes réveils, avec un petit marteau qui frappe frénétiquement sur deux cloches rondes jusqu'à ce qu'on se réveille toute paniquée avec une folle envie de se reproduire, ou au moins de procréer. Je me demande si cette horloge biologique a aussi une fonction snooze qui permet de se rendormir et d'être réveillée de nouveau plus tard ? Dans ce cas, mille mercis !

Voyez seulement ce que l'horloge biologique a fait de moi. Réaction perverse sur Forestier ! Et pour ce que j'en sais, il peut très bien avoir toute une ribambelle d'enfants, tous avec cette même casquette de Forestier. Je les vois en rangs serrés lui emboîtant le pas, une pelle à la main.

Demain, c'est mon anniversaire, trente-cinq ans. Le petit-déjeuner au lit, pour moi c'est râpé. Märta est à Copenhague avec la Passion et papa ne s'est jamais rappelé un anniversaire, c'était à maman de le faire. Et maman – si, si, elle se souvient d'anniversaires, à tort et à travers, elle se lève tout le temps pour fêter l'anniversaire de quelqu'un, parfois au milieu de la nuit, c'est ce que dit le personnel du service. Sauf que le jour ne correspond jamais à la date du calendrier.

Au boulot, ils attendent tous que j'apporte un gâteau, le traditionnel gâteau Princesse avec de la pâte d'amande verte, sinon ils ne me donneront pas ce foutu pot en céramique de l'Artisanat local qu'ils se sont sûrement cotisés pour m'acheter.

Örjan me faisait des cadeaux d'anniversaire pleins de goût, pratiques et impersonnels. Grille-pain design et casque de vélo et une fois une paire de caleçons longs norvégiens double épaisseur. Mais il n'offrait pas le petit-déjeuner au lit, il partait du

principe que nous tenions tous les deux à nos couettes 100 % duvet d'oie qui nous avaient coûté la peau
des fesses.

10

Le labour d'automne est fini et j'ai décidé de ne pas trop travailler dans la forêt cet hiver, juste un peu d'élagage. C'est maintenant que je devrais me mettre à l'entretien du matériel, je devrais aussi couler une nouvelle dalle à fumier et repeindre le hangar à machines.

Je n'en fais rien.

Les jours passent, il m'arrive de rentrer de l'étable, de m'allonger sur la banquette de la cuisine et de rester là les yeux rivés au plafond. Si je regarde par la fenêtre, je vois tout ce que j'ai laissé en plan. Parfois je lis *Le Pays*, les deux parties, j'épluche méticuleusement toutes les petites annonces dans la partie Loisirs et tous les faire-part de décès dans les pages locales. Pas la peine de démarrer quoi que ce soit, ça va bientôt être l'heure de retourner traire les vaches.

Il y a cinq ans, nous étions encore deux agriculteurs dans le village. Bengt-Göran aussi avait repris après son père, et des fois on se retrouvait le soir pour boire une bière. On parlait de la possibilité de mettre nos vaches sur les mêmes pâturages et de construire une salle de traite indépendante. Mais le beau-frère de Bengt-Göran, qui s'occupe des finances de la commune, a calculé que ce serait un investissement en pure perte. Ensuite Bengt-Göran a rencontré Violette, une fille habituée aux voyages charter. Il était obsédé par des visions de Violette sur la plage se faisant draguer par des types bronzés, tapis de poils noirs sur la poitrine et croix en or autour du cou, et avant qu'on ait eu le temps de se rendre compte de quoi que ce soit, Bengt-Göran avait vendu ses vaches et commencé à suivre Violette au soleil. Il s'est reconverti en vaches à viande qu'un écolo de la ville se charge de soigner quand il s'absente, et en hiver il se fait des thunes au déblayage de la neige. Je le vois rarement maintenant.

L'automne dernier, avant de savoir que maman était malade, je prenais la voiture tous les soirs pour aller voir du monde. Ceux qui étaient restés au village, je veux dire. Les anciens m'offraient un café et parlaient de leurs maladies, les plus jeunes prétextaient toujours des mômes à coucher ou des placards à repeindre. Mais, chaque fois qu'ils avaient une cousine ou une copine de madame en visite, ils m'invitaient à dîner le vendredi soir, pour faire le quatrième. On mangeait du rôti d'élan avec quelques verres d'aquavit et parfois on dansait aussi. Tôt ou tard je me retrouvais seul avec la nana et, si j'étais un peu pété juste ce qu'il faut, on allait batifoler quelque part, et il n'y avait jamais de suite. Cet automne, je n'ai pas sorti la voiture une seule fois pour aller voir quelqu'un, mais il arrive que les gens viennent ici. Je suis un

Bon Voisin, c'est marqué en fluo sur leurs fronts. Je me fais peut-être des idées.

L'autre jour, je suis allé à la banque en ville, et j'ai vu la beige. Elle entrait à la bibliothèque et elle ne portait pas de livres, pour autant que j'aie pu voir. Je me suis dit qu'elle y travaille peut-être. Et puis… une fois dans la rue après avoir réglé mes affaires à la banque, mes bottes m'ont conduit droit sur les portes vitrées de la bibliothèque, oui, mes bottes toutes seules, et je suis entré ! C'était un drôle de truc.

Sous les lumières du comptoir, je me suis un peu dégonflé et j'ai tourné la tête pour renifler le col de mon blouson, histoire de vérifier si je sentais l'étable.

Puis je l'ai vue. Elle discutait avec une môme, penchée en avant, elle montrait quelque chose dans un livre. Toutes les deux riaient.

Je me suis approché et j'ai tapoté son épaule. Elle s'est redressée avec une ride d'irritation au front. Quand elle m'a aperçu, elle s'est troublée comme si elle avait eu peur. Et moi, je n'étais pas moins troublé.

— Eh bien – oui, bonjour – est-ce que vous… est-ce que vous avez des livres sur l'apiculture ? ai-je balbutié en essayant de ne pas exhiber mon sourire assassin.

— J'imagine que oui, et tiens, bonjour ! a-t-elle dit, brièvement. Vous n'avez qu'à demander à l'accueil. C'est ma pause de midi maintenant.

Le Blaireau National a canalisé toute son énergie en un bond déterminant.

— Ça vous dirait… de venir faire un tour au cimetière ? Elle m'a longuement regardé.

— Alors là, je suis sûre que vous dites ça à toutes les filles ! a-t-elle dit, et ensuite elle a souri comme une gamine en vacances.

A partir de cet instant, j'ai des trous de mémoire, mais je sais que plus rien n'était difficile à gérer ni inquiétant.

Elle a pris son manteau et on est partis. J'ai même trouvé son bonnet en feutre joli. Avec les champignons et tout.

On est allés dans un restaurant et je n'ai pas la moindre idée de ce qu'on a mangé ou dit. Si, une chose. Quand j'ai voulu payer pour nous deux, elle a dit : "Oui merci, je veux bien. C'est mon anniversaire aujourd'hui, j'ai trente-cinq ans. Ça me fera un cadeau."

Pour le coup, j'ai compris deux choses.

Elle ne comptait pas avoir d'autres cadeaux.

Et j'étais tombé amoureux d'elle.

Ce n'était pas exactement un déclic. Plutôt comme quand je touche la clôture électrique sans faire gaffe.

11

Le calendrier est rempli
de fêtes non attribuées
et de pleines lunes annoncées
Il n'y a qu'à se servir

J'étais en train de parler avec une petite fille outrée qui trouvait Blanche-Neige complètement idiote. "Elle n'a même pas reconnu sa marâtre avec la pomme ! C'est vraiment nul !" a-t-elle dit. Ça nous a fait rire.

Quelqu'un m'a tapoté l'épaule. J'aurais presque dit le bras de la justice, mais c'était le Forestier ! Il portait son habituel blouson criard mais il avait enlevé la casquette et des mèches d'une couleur poussiéreuse tombaient sur son front. Il avait l'air en colère et il s'est lancé dans une diatribe incompréhensible sur un ton autoritaire. Je me suis dit qu'il devait désapprouver ma façon de soigner la tombe et il m'a fallu un moment pour comprendre qu'en fait il cherchait un livre.

— Demandez à l'accueil, c'est ma pause de midi ! l'ai-je rembarré.

Il n'arrivait pas à contrôler son visage, il était plein de tiraillements. Puis il a demandé si ça me disait de faire un tour au cimetière.

L'enfant l'a regardé avec beaucoup d'intérêt.

Et soudain j'ai compris que je m'étais trompée quelque part et qu'il y avait un tas de choses que j'ignorais totalement.

Nous sommes allés déjeuner ensemble. Il a englouti des quantités faramineuses de daube avec des betteraves rouges et du pain, et il a bu du lait, il le sirotait assez bruyamment, alors que moi, je n'ai fait que profiter des rayons de son sourire. Sans la casquette et avec le visage animé par l'attention, il n'avait l'air ni triste ni vieux, seulement très réel. Et ses cheveux en bataille, eh bien ils étaient tout simplement désarmants.

Nous avons parlé, c'était gai et cafouilleux, nous n'avons pas dit un mot sur Kristeva ou Lacan – pour autant que je m'en souvienne, ça tournait autour de lutins, de différentes étapes quand on coule du béton, de bruants jaunes, de la basilique Saint-Pierre de Rome et d'ongles du gros orteil. Il saisissait tellement vite que j'ai presque cru à la transmission de pensées.

J'ai raconté que c'était mon anniversaire et, d'une façon ou d'une autre, il a compris que je n'avais pas eu de cadeau.

— Maintenant tu viens avec moi ! a-t-il dit. Il a mis sa casquette et m'a fait enfiler mon manteau d'une main ferme. Puis, en courant presque, il m'a entraînée aux Galeries Domus et s'est mis à acheter des cadeaux. Il n'a pas demandé ce qui me ferait plaisir, m'a seulement dit de fermer les yeux quand il s'était décidé pour quelque chose. Nous avons fait les trois étages, et ensuite nous nous sommes installés à la cafétéria pour manger des petits gâteaux à la crème.

Il a étalé sur la table tous les paquets dans leur joli papier cadeau, puis il m'a regardée avec impatience. Je me suis jetée dessus avec une hâte qui était tout sauf feinte, et j'ai arraché le papier de tous les paquets avec des "Oooh !" de plaisir, des "Non mais !" et des "C'est trop !".

Au rez-de-chaussée, il avait acheté des boucles d'oreilles Mickey, un savon en forme de papillon et un collant turquoise. Au premier, un ballon rouge et brillant, une affiche avec la silhouette noire d'un couple d'amoureux main dans la main dans un coquillage géant en route au-dessus de la mer vers le lever du soleil, et une casquette aussi épouvantable que la sienne, mais sans *LES FORESTIERS* écrit dessus.

Dans le dernier paquet, il y avait un harmonica.

— Tu sais jouer de l'harmonica ? demanda-t-il. Je secouai la tête.

— Tant mieux ! Moi non plus ! Je savais bien qu'on avait quelque chose en commun ! sourit-il.

Il était sur le point de planter la fourchette dans son troisième petit gâteau à la crème, quand tout son corps se figea. Il venait de jeter un coup d'œil à sa montre.

— Il faut que j'y aille ! s'écria-t-il. J'aurais dû être de retour à la ferme depuis des heures !

Il se leva en envoyant valser le papier et les cadeaux et se précipita vers l'escalator. Juste au moment d'y poser un pied, il se retourna.

— Tu t'appelles comment ? beugla-t-il.

Je me sentis assez stupide en criant "Désiréeeeee !" en retour. Les clients autour de moi ont dû me prendre pour une extraterrestre.

— Quoiiii ? entendis-je dans l'escalator, puis il avait disparu.

— Et toi, je suppose que tu t'appelles Cendrillon, marmonnai-je, seule avec mon gâteau. Fais attention de ne pas perdre tes bottes !

L'ambiance dans la salle du personnel à la bibliothèque était indéfinissable quand je suis revenue, avec trois heures de retard et sans gâteau Princesse.

12

Ça m'est revenu cher. Je ne parle pas de ses cadeaux, pas du tout – mais, quand je suis arrivé à l'étable avec une heure et demie de retard pour la traite, les vaches n'étaient pas près de me faire de cadeaux, elles. Elles avaient mangé tout le fourrage, elles s'étaient couchées dans leur merde et elles étaient tellement récalcitrantes que ça m'a pris un temps fou. C'est seulement quand j'en étais au nettoyage que je me suis aperçu que j'avais trait la vache qui était sous pénicilline, le lait était parti dans le tank et cela ne signifiait qu'une chose : j'allais être obligé de jeter vingt-quatre heures de production laitière, et à part le fait que ça allait me coûter des milliers de couronnes que je n'avais pas, j'en aurais pour des heures et des heures à me débarrasser du lait. Mais ça en valait le coup. Oh que oui.

Je n'ai pas fait une bourde pareille depuis mes quinze ans. Ma mère travaillait comme aide à domicile à l'époque, et je me chargeais en général de la traite du soir en rentrant de l'école. Ce jour-là, on allait avoir une interro de math très importante le lendemain, et j'avais la tête ailleurs, à un théorème quelconque, parce que je tenais à mes super-notes. Ce n'est pas conseillé. Les paysans doivent être aussi alertes que des pilotes de chasse absolument tout le temps, c'est mon père qui disait ça. Sinon, ils se retrouvent aussi sec sous un tracteur en folie ou ils se prennent un coup de corne dans le ventre ou ils se plantent la tronçonneuse dans la cuisse. Cette fois-là, on avait dû en vider sept cents litres, papa était allé se rafraîchir la tête dans le tonneau d'eau de pluie mais il n'avait rien dit. Je sais que toute sa vie il s'est fait des reproches à cause des doigts que j'ai perdus dans la machine à bois quand j'avais quatre ans.

Sauf que la note de math ne m'a servi à rien. A la mort de papa, j'ai quitté le lycée pour reprendre l'exploitation. Maman était contre, elle préférait abandonner la ferme, disait-elle, bien que ce soit l'héritage laissé par ses parents. Je me suis décidé une nuit d'été quand je l'ai vue sous le grand sorbier dans la cour, le bras autour du tronc et les yeux rivés sur les terres.

J'avais l'impression d'être un vrai balèze quand d'anciens copains de classe venaient me voir. J'arrivais dans la cour en dérapant avec le gros tracteur, je déambulais dans mes grosses bottes ferrées et crachais le tabac à chiquer à tous les vents. Et avec l'aide de grand-père, ça fonctionnait. Puis lui aussi est mort, et j'ai eu de moins en moins de visites. Ils en ont sans doute eu marre que je sois toujours en train de bosser et que je ne parle que du poids de viande sur pieds et du prix du bois pour la pâte à papier les rares fois où je les rencontrais. Je les comprends.

Basta, on se concentre maintenant. Le suivi des chaleurs – je ne peux pas me permettre d'en louper une seule. Je dois nettoyer la herse avant qu'elle soit complètement bousillée par la résine. Appeler la vétérinaire. Et la banque, demain. Je suis en retard avec la compta. Et il n'y a presque plus de bois.

Il fait un froid de canard dans la maison – je n'ai pas eu le temps de charger la chaudière avant d'aller voir les vaches. Une heure à attendre d'avoir de l'eau chaude. Demain matin il faut absolument que je coupe du bois. Pour pouvoir me doucher après la traite du matin. Parce que je dois tout simplement aller en ville la retrouver. Merde, non ! Demain, il y a l'inséminatrice, et la vétérinaire aussi, et pas moyen de savoir à quelle heure ! Meeeerde !

Pas eu le temps de faire des courses non plus. Le hareng dans la vieille boîte de conserve ouverte depuis des lustres, c'est sans doute un truc à se rendre malade – et, si je devais m'écrouler raide mort de botulisme, elle ne le saurait jamais. Elle ne sait pas comment je m'appelle ! Est-ce qu'elle trouverait bizarre que je ne donne plus signe de vie ?

Mais moi, je sais comment elle s'appelle ! En tout cas peut-être. Je me prépare une tartine de pain Wasa ramolli, le beurre est à moitié rance, et je commence à chercher les Wallin dans l'annuaire.

Il y en a huit, mais aucun prénom féminin. Il y a un D. Wallin dans la Kofferdistgatan – je n'ai pas entendu ce qu'elle a dit quand elle criait son prénom, ça pourrait bien être quelque chose en D. Seul le Blaireau National appelle une personne totalement inconnue et demande à parler avec quelqu'un en D.

Mais j'irai vendredi, à temps pour la pause de midi.

Oh ! Vendredi – il y a l'assistant de traite qui débarque pour le contrôle laitier. Merde ! Merde ! Merde !

Le lendemain matin, je me réveille sur le canapé du séjour, une tartine à moitié mangée à la main et un grand sourire béat collé sur la figure.

13

Le chevalier est tombé du cheval
le totem est rongé par les vers
et on doit sans cesse réinventer la machine à vapeur
– seul le lever du soleil reste fidèle à lui-même

En rentrant à la maison, je me suis débarrassée de mes chaussures, j'ai sauté sur le canapé et j'ai arraché du mur une reproduction de Käthe Kollwitz à laquelle Örjan tenait comme à la prunelle de ses yeux, un fusain représentant une femme fatiguée en pleurs. A la place, j'ai placardé l'affiche avec le couple dans le coquillage.

Puis je me suis complètement déshabillée, j'ai mis les boucles d'oreilles Mickey et le collant turquoise, je me suis versé un verre de vin chaud sans me donner la peine de le chauffer et j'ai trinqué avec moi-même. C'était le seul alcool que j'avais à la maison.

Ensuite j'ai passé la soirée entière dans cet accoutrement à essayer d'apprendre *Coupons, coupons l'avoine* à l'harmonica en laissant mes pensées divaguer à leur guise. Pour finir, je suis allée prendre un long bain chaud, j'ai joué avec le ballon rouge dans l'eau et je me suis caressée avec le savon-papillon.

J'ai connu des anniversaires plus mornes !

Juste quand je m'endormais, le téléphone a sonné. J'ai d'abord pensé : comment a-t-il fait pour se procurer mon numéro de téléphone ? Mais c'était Märta, depuis Copenhague. Elle voulait me souhaiter un bon anniversaire et elle s'excusait de ne pas avoir appelé plus tôt. Robert et elle avaient apparemment été arrêtés par la police, pour une raison obscure, elle ne pouvait pas donner les détails parce qu'ils étaient encore au poste. Je répondis très distraitement et elle finit par s'en rendre compte.

— C'est arrivé alors ! dit-elle. Märta a le flair d'un limier, en toutes circonstances sauf pour ce qui la concerne.

— J'ai rencontré le mec de la tombe d'à côté ! dis-je en pouffant comme une gamine.

Pour une fois, je lui ai cloué le bec. Ensuite, quelqu'un a rugi en danois et on a été coupées.

Il n'est pas venu à la bibliothèque le jeudi. J'ai laissé tomber une boîte avec des fiches bristol et j'ai effacé un fichier important sur l'ordinateur.

Il n'est pas venu le vendredi non plus. J'enlevai les boucles d'oreilles de Mickey à la pause de midi. Liliane s'en était moquée, elle disait que ce n'était pas vraiment mon style, que je lui pardonne de me le dire. J'en ris aussi et je précisai que c'était un des enfants du conte qui me les avait données.

C'était presque la vérité.

Vers trois heures le vendredi après-midi, Olof me tendit le téléphone.

— C'est quelqu'un qui veut parler à "mademoiselle Wallin", dit-il. Je suppose que c'est toi.

Je sentis mon estomac se retourner comme si j'avais mangé un truc pas bon. Mes doigts avaient du mal à tenir le combiné.

— Oui, Désirée Wallin.

— Désirée ? dit-il. L'accent était charnu, avec des voyelles très ouvertes, mais c'était bien lui, sans hésitation. Je reconnus immédiatement la voix.

— Je m'appelle Benny, Benny Söderström. J'ai tenté le coup avec le nom, Wallin. Celui de la pierre tombale.

— Oui.

— On peut se voir demain ? On se retrouve devant les grilles du cimetière, vers une heure ?

— Oui, dis-je encore, par monosyllabe. On était loin du moulin à paroles.

Silence.

— Je sais jouer *Coupons, coupons l'avoine* à l'harmonica maintenant, dis-je.

— Tu n'as qu'à l'apporter, tu m'apprendras !

— On peut jouer de l'harmonica dans les cimetières ?

— Tu crois qu'ils sont en mesure de s'en plaindre ? Après on ira manger. Je n'ai rien pu avaler depuis deux jours.

— Moi non plus.

— Bien ! Il raccrocha tout de go.

Olof me scruta. La conversation avait dû lui sembler assez étrange. Puis il sourit avec mélancolie et me caressa la joue. La vie a quand même laissé quelques traces en lui. Il sait reconnaître une adolescente déboussolée quand il en voit une.

J'ai renversé une boîte de disquettes par terre et en voulant les ramasser je me suis retrouvée badaboum par terre. Et j'ai eu du mal à arrêter mon fou rire.

14

Je n'ai pas trouvé de chaussettes propres et la pompe n'a pas voulu fonctionner si bien qu'il n'y avait pas d'eau chaude, et quand je suis arrivé en courant devant les grilles du cimetière, je savais que je sentais l'étable. Parfois quand je vais à l'épicerie du village, j'oublie que je suis en bleu de travail jusqu'à ce que je vois les gens s'écarter de moi. Ils imaginent peut-être que j'ai des problèmes de flatulences, de nos jours peu de gens savent reconnaître une bonne vieille odeur de bouse.

Elle avait mis le collant turquoise. La couleur jurait terriblement avec son manteau.

— Je dois sentir l'étable, je suis agriculteur, ai-je annoncé avant même de l'avoir saluée. Vingt-quatre vaches laitières, plus le recrutement.

Je n'avais pas eu le temps de lui raconter tout ça la dernière fois.

— Et quelques moutons, ai-je ajouté. Bêtement. Et je l'ai regardée en douce tout en essayant de me placer dans le bon sens du vent.

Elle m'a fixé. Puis le sourire de vacances d'été s'est lentement répandu sur tout son visage. "Ça veut dire quoi, recrutement ?" a-t-elle demandé.

On a réglé le problème d'odeur en allant à la piscine, et sur le chemin j'ai expliqué que le recrutement était les veaux qu'on garde pour renouveler le troupeau. J'ai loué un slip de bain bleu marine ignoble, j'ai acheté un petit flacon de gel douche et je me suis minutieusement savonné, avant de la retrouver au bord du bassin. Elle avait attaché ses cheveux blonds et raides en un petit chignon mouillé et boudiné, c'est à peine si je l'ai reconnue.

Son maillot de bain était beige, évidemment, et elle était maigre, presque anguleuse. Sans ses petits seins, pas plus gros que des prunes, elle serait passée inaperçue dans la catégorie Messieurs quatorze à seize ans. Pourtant, sa maigreur tenait plus du lévrier afghan que de la disette – ses mouvements étaient en quelque sorte efficaces et économes en énergie, je suivais d'un regard ensorcelé sa main pâle quand elle peignait des images dans l'air pour illustrer ses propos.

Je pensais au fait que j'ai toujours bien aimé les couleurs – et la chair et les bourrelets aussi, soyons clair, ça donne de bonnes prises. Alors qu'avec elle je pourrais juste utiliser le bout de l'index, si je devais un jour me trouver à proximité de ses prunes.

A une époque, j'avais un colley, une femelle, que j'essayais d'accoupler avec un mâle de la même race qui avait un bon pedigree. Ma chienne rasait les murs et cherchait à se sauver – elle refusait tout rapport avec ce mâle-là. Quelques mois plus tard, elle n'a pas bougé d'un poil et s'est laissé saillir sans moufter par un croisement de chien-loup et de labrador.

Des choses comme ça, il vaut mieux ne même pas commencer à y réfléchir.

On a nagé deux, trois longueurs et fait la course sur des vélos d'entraînement et ensuite on est allés à la cafétéria choisir parmi les gâteaux étouffe-chrétiens. Tout le temps, on a parlé – elle surtout, c'est vrai.

Au milieu d'une phrase, j'ai senti son pied frotter mon mollet, et alors j'ai totalement perdu le fil. Les cris d'enfants qui résonnaient depuis le bassin se sont ajoutés au martèlement dans mes oreilles et j'ai été obligé de poser la serviette de bain sur mes genoux. On a joué un moment avec nos orteils et j'ai lutté pour maintenir le regard sur son visage. Tout ce que je voyais, c'était ses lèvres qui bougeaient, mais je n'ai aucune idée de ce qu'elle disait.

Soudain, elle a pris ma main mutilée et s'est mise à mordiller les articulations sans doigt. Je suis resté comme pétrifié.

— On va chez moi maintenant, a-t-elle dit. Et c'est ce qu'on a fait. On y est allés. A son appartement blanc et beige.

Je m'en souviendrai jusqu'à ma mort.

Elle a déverrouillé la porte, lancé le sac de piscine dans un coin et le manteau dans un autre. Puis elle s'est retournée, s'est débarrassée de son tee-shirt bleu pâle et a incliné la tête.

J'ai regardé autour de moi, puis j'ai commencé à enlever mon jean. Et alors j'ai débandé, complètement. J'avais l'impression qu'on se mettait à poil dans la bibliothèque municipale.

— C'est tous ces foutus livres sur les étagères qui me rendent nerveux ! ai-je bredouillé.

— On ne me l'avait jamais faite, celle-là ! a-t-elle rigolé. Elle a pris ma main et a porté les jointures dépourvues de doigt à ses lèvres encore une fois.

Ensuite on a fait l'amour deux fois, directement. Sans la moindre finesse – mais il aurait été aussi difficile de nous arrêter que d'arrêter un train express sur sa lancée dans une ligne droite.

La troisième fois, j'ai murmuré dans son oreille : "Maintenant on est comme deux chiens coincés l'un dans l'autre, il faut que quelqu'un nous jette un seau d'eau !"

Et on a commencé à se déplacer dans l'appartement, toujours attachés l'un à l'autre. Elle a fait cuire des saucisses avec des œufs sur le plat, moi en elle, par derrière. Elle a mis un tablier sur son ventre, qu'elle a noué dans mon dos.

On est allés prendre une douche comme une bête préhistorique à huit pattes.

On s'est entraînés à marcher l'amble, et on a imaginé la frousse qu'auraient les gens au kiosque si on descendait comme ça acheter le journal, juste entourés d'un drap. Mais avant qu'on ait réussi à arranger joliment le drap, elle a tourné de l'œil et s'est effondrée en un joli petit tas sur le tapis de l'entrée. Elle grommelait un truc à propos de marbrures sur la poitrine, je n'ai rien compris.

Pour une fois, je n'avais pas à me soucier de l'heure, j'avais réussi à convaincre Bengt-Göran de faire la traite du soir, mais il fallait penser à demain. Je n'ai pas pu envisager de me séparer d'elle ne serait-ce qu'une minute, et je lui ai demandé de venir avec moi.

La quatrième fois que je me suis glissé en elle, je l'ai sentie se contracter autour de moi. Elle y avait autant de muscles qu'une vieille bergère en a dans les mains. Je le lui ai dit.

Elle a frotté son nez contre le mien.

— Tu crois que moi aussi je pourrais apprendre à traire à la main ? a-t-elle marmonné.

15

En amour, certaines deviennent colombes
gazelles, chattes et biches
et moi
frémissante, mouillée et transparente
– ta petite méduse mauve ?

Örjan et moi lisions *Les Plaisirs de l'amour* ensemble. Nous nous faisions des massages avec de l'huile, et ensuite nous testions toutes les positions, même une étrange variante de bretzel. J'ai feint l'orgasme plus d'une fois. Pas pour rendre Örjan heureux, je l'avoue – non, des fois je n'avais simplement plus la force de continuer. Lui ne voulait jamais abandonner avant d'être parvenu au résultat qu'il s'était fixé. D'ailleurs, il était pareil en tant que scientifique – il se formulait une hypothèse et ne baissait pas les bras avant de l'avoir démontrée.

Il avait lu que les femmes avaient des marbrures rouges sur la poitrine après l'orgasme et quand il me voyait aussi blanche que d'habitude, un pli d'agacement se creusait sur son front et il avait l'air de vouloir remettre ça. Je tentais un stratagème style manque de pigmentation, et il se lançait dans une explication de la différence entre pigmentation et excitation nerveuse jusqu'à ce que je m'endorme d'épuisement.

Je me disais que je n'avais pas de penchant pour l'érotisme.

Je me trompais.

Quand je suis sortie des vestiaires dames à la piscine, j'ai guetté mon Forestier parmi les baigneurs, et je ne l'ai pas vu tout d'abord. Je cherchais une démarche d'ours et l'éternelle casquette avec les cache-oreilles. Puis tout à coup il s'est matérialisé devant moi en slip de bain de location, hanches étroites, épaules larges et bras musclés où les veines serpentaient comme des cordelettes. Le visage et les avant-bras étaient bronzés, le reste du corps blanc comme la craie. Les cheveux poussiéreux et jaunes tombaient en boucles dorées et mouillées.

A la cafétéria, quand j'ai caressé son mollet avec mon gros orteil, il a posé son drap de bain sur les genoux avec une grimace gênée. Ça ne m'a pas échappé.

Mes ovaires faisaient des sauts périlleux et j'étais pressée de l'emmener chez moi, le plus tôt serait le mieux.

Il s'agissait bel et bien de Désirée Wallin, la femme qui était dans son appartement cet après-midi-là en compagnie d'une personne de sexe mâle. Je veux dire, j'avais le même numéro de Sécu, le même permis de conduire et les mêmes grains de beauté que le matin même.

Pourtant je n'étais plus la même. J'ai peut-être été frappée d'un dédoublement de la personnalité, on peut lire des choses comme ça le dimanche dans le supplément magazine du journal.

Il ne m'avait pas seulement fait tourner la tête, il lui avait fait faire plusieurs tours sur elle-même jusqu'à ce qu'elle se détache. Je la tenais comme un ballon de baudruche dans une ficelle pendant que mon corps se vrillait et se vautrait. Des heures durant. J'ai même eu le temps d'offrir une pensée nostalgique à Örjan en voyant les marbrures rouges éclater.

Quand je lis des livres qui décrivent les différentes expressions que peut prendre l'art de faire l'amour, il m'arrive de bâiller. Le concept est toujours le même. Mais quand ça vous arrive personnellement, c'est un neuf sur l'échelle de Richter, et rien que d'y penser ma machine se relance.

Le soir venu, nous étions envahis de rougeurs et d'irritations un peu partout. Il m'a annoncé que je venais avec lui et j'ai jeté ma brosse à dents et du shampooing-douche dans mon fourre-tout.

Pas de chemise de nuit. Mais j'ai mis ma casquette d'anniversaire.

Sa voiture était monstrueuse, une sorte de camionnette, et j'ai dû déplacer une demi-tonne de ferraille avant de pouvoir me glisser à côté de lui. Nous nous sommes arrêtés en route acheter du pain et du fromage à une station-service. Il a fait un vague geste vers le rayon des préservatifs, j'ai secoué la tête et tracé un stérilet sur la buée de la vitre. Je l'avais gardé en place, en souvenir d'Örjan.

Il faisait nuit quand nous sommes arrivés à sa ferme, si bien que je n'ai rien vu des environs. Mais ça sentait la campagne rassurante et la maison était grande, ancienne et peinte en rouge. Il m'a fait monter devant lui sur le perron, m'a fait entrer dans le vestibule, puis il a disparu en direction de l'étable pour un tour d'inspection.

A l'intérieur aussi, il y avait une faible odeur de campagne, assez désagréable pour être tout à fait franche. Moisissures, lait tourné et chien mouillé.

Ainsi je fis connaissance avec sa maison sans lui, et je le regrette – j'aurais eu besoin de sa main gauche sèche et chaude avec les trois doigts pour me soutenir. Car on ne pouvait pas s'y tromper, ceci était le foyer de l'homme à la stèle funéraire vulgaire.

Je commençai par la cuisine. Au plafond, un tube au néon avec quelques mouches mortes dedans. Les murs étaient gris-bleu, manifestement depuis un demi-siècle. Ils étaient couverts de chiures de mouche, et de broderies au point de croix : des chatons, des mésanges et des maisonnettes rouges, avec des maximes populaires telles que *Quand il y a de la place dans le cœur, il y en a dans la maison* brodées sous des fleurs furieusement orange dans des paniers marron. Sur le rebord de la fenêtre il y avait une enfilade de plantes vertes aussi mortes que les immortelles poussiéreuses dans un vase noir des années cinquante. Une banquette en bois avec une lirette sale jetée sur le siège, un torchon douteux, des chaises avec des coussins marron et fleuris. Sur le vieux réfrigérateur qui trônait tout seul dans un coin avec ses angles arrondis et son dessus bombé étaient posés une rose en tissu bleu dans une chaussure en porcelaine ainsi qu'un chat en plastique que le temps avait rendu presque transparent. J'ai rangé le fromage dans le frigo, il était pratiquement vide et sentait le compost.

Ensuite je suis passée dans la pièce suivante. En tâtant, j'ai trouvé un gros interrupteur noir, à hauteur de hanches. Revêtement mural en vinyle expansé vert sombre, du genre qui donne l'impression qu'il pousse de la mousse sur les murs. Un vieux lit-divan dont un des montants était défoncé, avec de vieilles couvertures disparates et défraîchies dessus. Un buffet en chêne surmonté d'un miroir, et dessus un grand poste de télévision. Un fauteuil des années cinquante tout en angles, un porte-revues plein de vieux numéros du *Pays* – et encore d'autres broderies au point de croix. Ainsi qu'une reproduction sous verre de ce chromo populaire avec des enfants qui se bagarrent devant une grille à la campagne.

J'ai essayé de me remonter le moral en me disant : On pourrait ouvrir un café ici, tendance culture postmoderne, ça serait parfait ! Ensuite j'ai pensé que si j'avais rencontré cet intérieur par exemple en Estonie, je l'aurais sans doute trouvé émouvant, exotique même. Mais j'ai quand même senti les coins de ma bouche se figer en un sourire glauque.

Et ce simili-sourire s'est définitivement éteint quand je suis entrée dans la chambre à coucher et que j'ai vu le lit en désordre avec ses draps grisâtres.

16

Je suis revenu par la cave et j'ai pris une douche en bas pour ne pas faire entrer l'odeur d'étable dans la maison. Je n'utilisais plus trop souvent la douche de la cave, parce que pour tout dire, je ne l'ai jamais vraiment nettoyée à fond. Il faudra sans doute la passer au karcher pour venir à bout de la crasse. Comme un peu partout dans la maison, d'ailleurs. Mais bordel de merde, quand est-ce que… ?

Maman bossait dix heures par jour, au moins, moi, je bosse dans les quinze, ça fait vingt-cinq au total, je n'arriverais pas à les réunir, même si je comptais aussi les orteils. C'est un fait, et il n'y a qu'à l'admettre une fois pour toutes, le carrelage rutilant a disparu avec les gâteaux faits maison et les draps repassés.

Quand j'étais là sous la douche en train de fredonner, l'idée m'est venue qu'elle, ma chérie beige, s'affairait en ce moment dans la cuisine pour mettre la table avec ses mains blanches, sortait du frigo un de ces filets de bœuf en salaison qu'on préparait toujours à la ferme autrefois, du pain frais et croustillant directement du four et une bière fraîche. Et des gaufrettes saupoudrées de sucre.

Evidemment qu'elle ne faisait pas ça, où aurait-elle trouvé des gaufrettes tout à coup ? Elle n'avait même pas défait le sac plastique de chez *Statoil* ni fait chauffer l'eau pour le thé. Je l'ai trouvée les bras ballants devant la bibliothèque du séjour, en train d'examiner le dos des ouvrages. Pauvre chou, elle n'aurait pas une bonne pioche, il n'y avait que des vieux livres de cours et quelques romans en provenance d'un cercle de lecture, qui avaient appartenu à maman – et quinze années reliées du périodique de la Conf'.

Je me sentais un peu embarrassé. Dans son appartement, j'avais peut-être eu la tête toute retournée, mais j'avais quand même noté ses deux murs couverts de livres.

— Tu cherches quelque chose à lire au lit ? Qu'est-ce que tu préfères, *Chimie au collège* ou la collection 1956 de la revue de la Conf' ? Il s'est passé beaucoup de choses dans l'élevage de cochons cette année-là, ai-je essayé. Elle m'a souri, un sourire fatigué. Plus du tout le sourire de vacances d'été.

On est allés dans la cuisine et je me suis affairé à sortir des tasses et à faire chauffer de l'eau. Elle s'est assise devant la table et a commencé à feuilleter *Le Paysan*.

Ça faisait un peu bizarre. Je veux dire, qu'elle s'attende à être servie comme ça.

— J'ai un bac plus pas mal d'années, a-t-elle dit soudain. Et en général, je donne la bonne réponse sans tricher aux questions de culture générale de *Dagens Nyheter*. Mais je n'ai jamais soupçonné qu'il puisse exister des remorques autochargeuses, ni des protège-pis pour vaches.

J'ai attendu en silence. Elle cherchait à me dire quelque chose. J'ai mis le pain sur la table et elle a distraitement tendu le bras pour prendre une tranche.

— Je veux dire, toi, tu es confronté à ces engins tous les jours, tu sais parfaitement où est l'avant et où est l'arrière. Ce n'est pas plus compliqué pour toi que les théories de Lacan pour moi.

— Lacong ? ai-je dit. C'est qui ce bonhomme-là ? Ça ne serait pas celui qui a inventé le séparateur de graisse ?

Bien sûr que j'ai compris que ça partait d'un bon sentiment. Elle voulait que je ne me sente pas idiot de ne pas avoir de livres et de ne pas avoir fait d'études. Elle voulait montrer qu'elle avait des lacunes, elle aussi, et blablabla. Ça m'a quand même dérangé. Pour qui elle se prenait de venir me consoler de ne pas être elle ? Elle a dû croire que je faisais la gueule, parce qu'elle m'a regardé par en dessous.

— Tout ce que je veux dire, c'est que tu devrais avoir ici sur ta banquette une fille avec de grosses tresses blondes qui dit "Regarde Benny, ils sortent de nouveaux modèles de protège-pis pour les vaches cette année ! Eh dis donc, tu devrais peut-être investir dans une remorque autochargeuse, il y a les Krone 2400." Moi, je ne comprends rien à ce que tu fabriques.

— Si je cherchais une fille comme ça, je me serais adressé à la boîte d'intérim, ai-je dit. Ou j'aurais passé une petite annonce dans *Le Pays*. Cherche femme avec permis tracteur, rép. gar. à tts. Mais quand on va chercher des filles au cimetière, il faut faire avec ce qu'on trouve. Et d'ailleurs, c'est pas toi qui devais apprendre à traire à la main ?

Réapparition du sourire de vacances d'été.

— Tu as de quoi me donner une leçon ? a-t-elle dit.

J'avais de quoi. Sur place et tout de suite.

Ensuite on s'est traînés au lit, je n'ai même pas eu la force de mettre des draps propres, bien que j'aie eu l'intention de le faire.

Au milieu de la nuit, je me suis réveillé parce qu'elle était assise dans le lit, paniquée, le souffle court.

— Örjan ? a-t-elle dit d'une petite voix sèche en tâtant mon bras d'une main en sueur.

— Là, là, tu es chez moi, ai-je murmuré, et je lui ai caressé le bras jusqu'à ce qu'elle se calme. Elle a pris mes trois doigts, les a mis sur sa bouche et s'est rendormie avec un soupir.

17

A quoi bon
des chaussures de course haut de gamme
et une boussole fiable
si je ne sais même pas
tenir la carte dans le bon sens ?

J'ai été réveillée par Benny, qui était assis sur le bord du lit et essayait de tresser mes cheveux fins et raides.

J'avais l'impression que c'était le milieu de la nuit, et des cauchemars imprécis me restaient en tête. Un délire où Örjan essayait de me faire enfiler un gilet de sauvetage. "Pas la peine, je pars juste faire un tour en coquillage…" avais-je essayé de dire, mais autour de moi je ne voyais que de l'eau à perte de vue. Je crois que j'ai geint.

Benny m'a fait rouler dans le lit et s'est mis à tresser l'autre côté.

— Je pense qu'on va pouvoir faire quelque chose de toi, dit-il. Mais tu as loupé la traite du matin. Ses cheveux étaient mouillés et il sentait le savon.

— Dégage, sale plouc ! croassai-je. Prends tes vaches et trace ! Va me chercher un café au lait, avec des croissants et les pages Culture de *Dagens Nyheter* ! Ensuite tu seras libre d'aller écouter Les Infos de l'agriculture ou ce que tu veux !

Il entortilla les tresses en une natte sur ma tête et les fixa avec un élastique de la taille d'un pneu de vélo.

— Demain tu iras comme ça au boulot, dit-il. Avec des bottes d'étable, et tu marcheras en te dandinant comme une paysanne et tu leur parleras des soins à donner aux sabots.

En matière de dandinement, je fus servie. J'eus l'entrejambe tout brûlant et gonflé.

— Voilà ce qui arrive quand on ne fait pas attention au taureau, dit-il, tout content de lui.

Nous sommes descendus dans la cuisine et la fête a continué avec le pain très quelconque de la station-service. Benny engloutit du porridge avec de la compote de pomme, on aurait dit que son estomac n'avait pas de fond. Il me demanda si je faisais mon pain moi-même, et je répondis que j'avais toujours cru qu'on cueillait le pain sur les arbres, des petits pains au début qu'on pouvait aussi laisser grossir en miches bien mûres.

Il rit, mais ça semblait un peu forcé.

Ensuite il m'emmena de force sur ses terres, plein d'impatience de me montrer. Je hochai la tête, je dis aha, oho et ooh, vous êtes fort, patron. Ce n'était pas difficile, parce que la ferme était très joliment située dans un paysage vallonné où les dernières feuilles de l'automne servaient de décor. De légers bancs de brouillard au-dessus d'une terre noire et grasse qu'il venait de labourer. Des sorbes rouges lumineux, sa mère en faisait une gelée extra, dit-il. D'énormes boudins en plastique remplis d'une sorte d'herbe fermentée, en rangées proprettes derrière la grange. Et puis une étable pleine de vaches rassasiées et somnolentes – je n'ai pas souvent eu l'occasion de voir une vache grandeur nature, elles étaient un peu irréelles.

Je me dirigeai évidemment tout droit sur les box des veaux et laissai les adorables petites bêtes avec leurs yeux de biche me téter les doigts, alors que Benny me tirait par le bras pour me montrer les dernières astuces des nouvelles techniques de fumure. Il n'a tout de même pas pu croire pour de vrai que cela m'intéressait le moins du monde ! Les moutons étaient toujours dehors, "mais il va falloir qu'on les rentre bientôt !" dit-il. On ?

J'eus le sentiment de me trouver au milieu du rêve de quelqu'un d'autre. Quelqu'un en train de piéger un séduisant-propriétaire-foncier-avec-vingt-quatre-vaches-laitières. Plus le recrutement. Sauf que moi, je n'avais rien demandé de tel, je m'étais plutôt réconciliée avec l'idée de rester vieille fille, à la rigueur avec un chat. Et un amant par petites doses pour maintenir les hormones à un niveau stable.

C'était en quelque sorte *too much*, comme disait toujours Märta. En tout cas vingt-quatre de trop. Mais je ne le dis pas. Il en était tellement fier.

Ensuite ça a évidemment fait des histoires quand j'ai eu envie de rentrer chez moi. J'avais accumulé

exactement la quantité de broderies au point de croix
et de procédés de fumure que je pouvais supporter
en un jour et une nuit. J'avais besoin de chouchouter
mon châssis durement éprouvé dans un bain chaud,
de lire *Dagens Nyheter*, d'écouter un peu de Boc-
cherini, de boire une tisane et de me coucher dans
des draps blancs et propres.

J'avais besoin de réfléchir.

Mais avant que j'aie eu le temps d'exprimer tout
cela d'une façon aimable, Benny a sorti du congéla-
teur un kilo de viande hachée qu'il m'a lancé en
disant, tout excité, que ça nous ferait le dîner – on
pourrait peut être faire des boulettes de viande ?
Mon regard alla de lui au bloc congelé, puis à lui de
nouveau. Je dis un truc tiré par les cheveux comme
quoi je me trouvais sous le coup d'un choc des cultu-
res et qu'il fallait me ramener dans mon milieu habituel un petit moment.

Il me regarda et je sentis ses longues antennes
tâter mon visage. Oui, il est sensible aux états d'âme.
C'est sans doute nécessaire pour obtenir un bon
contact avec nos amis les bêtes muettes.

Et un nuage passa devant son merveilleux sourire.

— Bien sûr, je te raccompagne ! dit-il seulement.
Il n'y a pas de car le dimanche.

Il me ramena en ville, quarante kilomètres, toucha
tout doucement mon bonnet de feutre et me déposa
dans la rue. Il était pressé de rentrer faire la traite
du soir.

Dès que j'eus ouvert ma porte et que je vis mon
appartement où nous avions mis un tel souk la veille,

mon état d'âme changea de nouveau, et je fis demi-tour illico. Est-ce que j'aurais dû malgré tout me charger du bloc de viande surgelé, seulement pour ne pas voir son sourire s'éteindre ?

Mais il ne faut pas se leurrer, je n'aurais pas su le transformer en boulettes de viande, voilà où le bât blessait. Örjan et moi étions la plupart du temps végétariens, et depuis sa mort je n'ai acheté que des boulettes de viande surgelées toutes prêtes. Je ne me suis pas trouvée face à face avec une boulette de viande faite maison depuis l'époque où j'habitais encore chez ma mère. Et ce n'était pas elle qui aurait laissé sa petite Désirée salir ses mains d'érudite avec de la farce collante.

Aujourd'hui, elle aurait été incapable de m'apprendre à les préparer, même si je le lui demandais. La dernière fois que je lui ai rendu visite, elle m'appelait mademoiselle Karin et elle m'a engueulée parce qu'on ne lui avait pas servi le café.

Je revins sur mes pas, entrai chez moi et me fis couler un bain chaud.

18

J'ai bien vu que quelque chose n'allait pas, je ne suis pas idiot. Elle était à peu près aussi passionnée par ce que je lui montrais dans la ferme que si j'avais essayé de raconter en détail le fonctionnement de mon système digestif. Polie, bien sûr. Des questions futées. Mais pas vraiment un regard pétillant d'intérêt.

J'ai essayé de me dire que ça ne m'aurait pas plus passionné si elle m'avait baladé dans la bibliothèque et expliqué la signification des lettres sur le bord des étagères et l'organisation du système de fiches. Mais je ne me suis pas trouvé très convaincant. Je veux dire, les livres ne sont après tout que des livres. Alors qu'une ferme est une ferme.

Et quand je lui ai donné un paquet de viande hachée surgelée, j'ai su, au moment même où je le lui lançais et qu'il se trouvait encore dans l'air, que c'était l'erreur à ne pas faire.

Je n'y avais pas tellement réfléchi, je veux dire, je vis dans une région où les hommes rentrent à la maison avec un élan cru qu'ils donnent à leur femme et ensuite ils s'attablent devant un ragoût succulent sans jamais se poser de questions sur l'étape inter-médiaire. Je crois que j'avais grosso modo imaginé que j'aurais le temps d'expédier l'étable des génisses pendant qu'elle préparerait quelque chose à bouffer, comme ça on aurait le temps et de manger et de faire une sieste – ha ha – avant la traite du soir. Elle a regardé le paquet comme si c'était une bouse de vache congelée. Puis elle a voulu rentrer chez elle. Il n'y avait qu'à s'incliner.

Tout le long du trajet, elle a gardé la main sur ma nuque. De temps en temps ses doigts jouaient avec mes cheveux.

— Je ne voulais pas te blesser, disaient les doigts. Et ne va pas imaginer que c'est le début de la fin.

Sinon, personne n'a rien dit dans la voiture.

Le soir, je suis allé chez Bengt-Göran et Violette.

— On a vu qu'il y avait une fille avec toi ! dit Violette toute curieuse.

Bengt-Göran m'a fait un clin d'œil et m'a donné un coup de coude avec un petit sourire comme si on venait de mater un film porno. Bon d'accord, c'est vrai que ça nous est arrivé, des fois, avant Violette.

— Quelqu'un qui vient de la ville ? Hein ? a-t-il dit en se piquant au jeu.

Bengt-Göran vit en quelque sorte dans l'illusion que les filles de la ville sont continuellement en chaleur, qu'elles portent des culottes sexy en dentelle noire fendues au milieu et écartent les jambes dès qu'on se trouve seul avec elle. C'est marrant, quand on pense à la petite ville pépère que c'est en réalité. Et aussi quand on pense à la frangine de Bengt-Göran qui m'avait culbuté dans le foin en me tenant fermement par la peau du cou. J'avais quatorze ans et elle en avait dix-sept, c'était ma première fois – et la dernière avec elle en tout cas, j'avais une de ces trouilles d'elle et je faisais d'énormes détours après. Les petites culottes en dentelle, très peu pour elle, elle n'avait pas de culotte du tout. Bengt-Göran n'en sait évidemment rien. Et aujourd'hui sa frangine a quatre mômes et elle ressemble à un sumo.

— Mmmm. Une fille de la ville. Je l'ai trouvée au cimetière. Je veux dire, c'est là qu'on s'est rencontrés.

— Oui, elle m'a bien semblé un peu pâle, a commencé Bengt-Göran en pouffant, alors que Violette a pris un air pincé.

— Le cimetière ? a-t-elle dit. Il faut toujours que tu fasses ton intéressant, toi !

Je ne sais pas ce que j'ai fait pour mériter un tel jugement de la part de Violette. Peut-être que ça date de cette fête où on avait parlé, elle et moi, et que l'alcool aidant on était devenus un peu intimes. Je lui avais dit franchement qu'elle était certainement celle qu'il fallait à Bengt-Göran pour l'aider à sortir de sa mélancolie ancestrale de paysan.

Mélancolie ancestrale de paysan ! Rien que d'y penser, j'ai envie de m'enfouir la tête dans le sable !

— Regarde-le, comme il reste silencieux et renfermé sur lui-même au milieu de tout ce bordel ! avais-je hoqueté.

— Il est soûl comme une barrique, voilà tout, avait rétorqué Violette. Et elle avait raison, évidemment, il était allé vomir au pied d'un lilas juste après.

— Elle ne sait même pas préparer des boulettes de viande, ai-je dit. Elle sait seulement lire des livres et parler des théories d'un certain Lacong !

Autant en rajouter. Qu'ils ne s'attendent pas à être invités à prendre le café avec gaufrettes et annonce de fiançailles au pied levé. C'était suffisamment compliqué comme ça.

— *Des boulettes de viande*, elle ne sait pas ? a dit Violette en lorgnant avec satisfaction l'autre bout de la table. Il y avait là un plat grand comme une bassine rempli de boulettes dorées et croustillantes. Tu en veux ?

— Tu as raison, Benny ! a ri Bengt-Göran avec de nouveau ce regard de film porno. Mieux vaut les jeter après usage ! Ne va pas t'embourber dans le marécage matrimonial !

Dans l'univers de Bengt-Göran, personne ne peut s'attacher sérieusement à une femme qui ne sait pas préparer des boulettes de viande, et encore moins se marier avec elle.

Quand Violette m'en a servi une assiette remplie à ras bord, avec en plus des airelles au sucre qu'elle avait cueillies elle-même, je n'étais pas loin d'être d'accord avec lui.

19

Je déguste la solitude
Laisse une minute de silence fondre sur ma langue
seul le rayon de soleil poussiéreux vient me déranger

Mon appartement donne sur une cour fermée par des corps de bâtiments à deux étages. Ce quartier résidentiel doit avoir dans les vingt ans, les arbres sont grands, on les aperçoit par les fenêtres, les bacs à sable sont peu fréquentés. Ceux qui y faisaient des pâtés il y a quinze ans ont quitté le nid à présent, mais leurs parents quinquagénaires habitent toujours là. De braves gens, stables et sans habitudes perturbatrices.

Beaucoup de silence donc sous mes fenêtres. Elles sont orientées au sud et le soleil se faufile par mes stores vénitiens en bois et dessine des rayures sur mes canapés blancs. Il arrive qu'on entende des pas dans l'escalier, mais pas souvent, j'habite au dernier étage. Quand j'ouvre la fenêtre, le courant d'air joue dans le grand *Ficus benjamina* qu'Örjan avait fait pousser à partir d'une bouture. Mais je suis trop frileuse pour garder la fenêtre ouverte longtemps, au contraire, je mets les radiateurs à fond et en général il fait plus de vingt-trois degrés chez moi.

J'aime bien rester allongée sur un des canapés enveloppée dans mon peignoir blanc, et regarder les rayons du soleil zébrer la pièce.

Parfois je lève une main et laisse le soleil la rayer aussi et les seuls bruits que j'entends sont le chuintement du frigo et les petits poc d'une mouche d'automne tardive qui persiste à se cogner à la vitre.

Je le sais bien, cette histoire avec Benny est totalement impossible.

Comme quand on reste à l'ombre des platanes le dernier jour des vacances devant un verre de retsina frais. On rêve d'arracher ses racines, de simplement venir habiter là et de vivre au jour le jour. Prendre un boulot, n'importe lequel, trouver une maison blanche avec une terrasse au soleil pleine de pots d'herbes aromatiques. Et pourtant on sait pertinemment que cinq heures plus tard on débarquera à l'aéroport d'Arlanda sous la bruine, que le lendemain on sera de nouveau en train de stresser sur sa chaise de bureau réglable, et que la seule chose qui restera sera le bronzage. Qui s'écoulera par la bonde avec l'eau du bain au bout de trois semaines.

Voilà comment je rêvais en pensant à Benny et à nos jeux – il doit y avoir un moyen de conserver tout ça ! Fermer la porte d'entrée à clé et ranger l'homme dans le placard jusqu'à ce que je rentre du boulot. Comme dans ce film culte espagnol avec Antonio Banderas.

J'essayai de m'imaginer dans sa vie. Mais aucune image ne se présenta à moi.

Je ne m'étais pas doutée qu'il puisse exister une telle opposition culturelle, à seulement quarante kilomètres, chez un homme suédois qui avait pratiquement mon âge.

J'aurais sans doute plus facilement trouvé mes repères avec un musulman pratiquant.

Instantanément, je commençai à imaginer un homme basané et maigre aux yeux mélancoliques qui avait été contraint à l'exil politique et qui vivait à présent dans un studio de HLM, les murs couverts de recueils de poésie en farsi. Le jour, il travaillait comme balayeur malgré ses diplômes universitaires, la nuit il participait à des réunions enfumées avec ses amis politiques et poétiques ou alors nous allions voir d'inoubliables films en noir et blanc au ciné-club. Et je m'initiais à sa culture et traduisais ses poèmes, et je collectais de l'argent dans la rue pour combattre le dictateur. Nous mangions des plats exotiques très relevés, assis sur de magnifiques tapis…

Mais préparer des boulettes de viande dans la cuisine lugubre de Benny, et être l'esclave de vingt-quatre vaches toute la semaine, tout au long de l'année ? Essayer de maintenir propre sa douche crasseuse, alimenter le poêle à bois pour avoir de l'eau chaude, discuter les articles dans *Le Pays* ? Moi ?

Je suis sans doute raciste, mais pas du type ordinaire.

Pourtant, pendant plusieurs jours, mes mains n'ont cessé d'aller voleter au-dessus du téléphone. Parfois parce qu'il ne sonnait pas, parfois parce que je n'appelais pas.

Pour lutter contre l'humiliante sensation d'être retombée en adolescence, je m'efforçais de ne pas rester à la maison le soir. Je faisais des heures sup', j'allais au cinéma, je faisais le tour des bars avec des collègues célibataires. Elles me trouvaient remarquablement gaie et sociable, j'étais d'accord avec elles.

Le temps vira à la pluie d'automne, je n'avais même plus les rayures du soleil pour jouer. Et sous la grisaille, mon appartement était aussi enthousiasmant que la salle d'attente d'un dentiste. La seule chose qui tranchait un peu était le lever du soleil fluo derrière le couple d'amoureux dans le coquillage, sur l'affiche que Benny m'avait donnée pour mon anniversaire.

Il ne se passait pas un jour sans qu'à toute heure je ne pense à Benny.

A la bibliothèque, je me plongeai dans *Le Pays*, à la surprise bruyamment manifestée de Liliane. Je dis que je cherchais un article que la commune avait commandé. Sur le curage des fossés.

Olof me regardait par moments comme s'il était sur le point de me demander quelque chose. Mais il avait la sagesse de s'en abstenir.

Un jour, la lubie me prit d'aller déjeuner dans un troquet où des immigrés de différentes origines avaient leurs quartiers. Je les fixai de façon si têtue et inspirée depuis ma table solitaire qu'ils se méprirent totalement sur mes intentions, et je me retrouvai engagée dans des conversations douteuses que je préfère taire. D'autant plus que la raison de ma présence était tellement trouble – pour ne pas dire stupide – que j'en devins écarlate jusqu'à la racine des cheveux.

Ma vieille dépression connut un regain, à mesure que les journées passaient. Et Märta n'était toujours pas rentrée. Je prenais des bains qui duraient la moitié de la nuit, ma peau devenait blanche et fripée. Je traînais à la maison des tonnes de littérature fantastique en format poche. J'utilisais le savon-papillon jusqu'à ce qu'il ne soit plus qu'une masse rose et gondolée.

Comment ce qui m'avait semblé tellement juste pouvait-il aller tellement de travers ?

Benny se posait sans doute la même question à ce stade de la compétition. Puisqu'il ne donnait aucun signe de vie.

20

Chaque fois que je prenais le téléphone pour l'appeler, je gardais le combiné collé à l'oreille jusqu'à ce que je n'aie plus de tonalité. Elle avait dit qu'elle avait subi un choc culturel et qu'elle avait besoin d'être seule. Pendant trois jours j'ai attendu qu'elle appelle. Puis c'est moi qui ai appelé. Pas de réponse.

J'ai trouvé une vieille carte "Bon rétablissement", j'ai écrit son adresse sur l'enveloppe et je l'ai timbrée pour la déchirer aussitôt.

Plusieurs fois, j'ai envisagé d'aller en ville et de passer à la bibliothèque. Mais j'ai senti que ce serait avoir recours aux extrêmes.

Le temps n'a cessé d'empirer. J'ai passé deux jours à rentrer les moutons, avec l'aide du fils des voisins, qui a treize ans. Ils étaient restés dehors beaucoup trop longtemps et étaient musclés comme des gymnastes d'élite. Les agneaux mâles volaient par-dessus les clôtures sans même toucher le fil, et les brebis couraient comme des biches. Si je les envoyais à l'abattoir, ils ne m'apporteraient pas plus par tête que ce que je paierais pour un bon gueuleton chez McDo. Et si je les abattais à la ferme en me faisant aider du vieux Nilsson, on aurait du mal à venir à bout de leurs muscles. Le gamin et moi, on a cavalé comme des fous sous une pluie mêlée de neige en jurant pire que des charretiers, lui surtout. *"Fuck you"*, criait-il aux moutons.

Je ne comprends pas pourquoi je les garde. C'est ma mère qui voulait en avoir quelques-uns, elle récupérait la laine pour ses stages de feutrage. Et rien qu'à penser à son sauté d'agneau, avec des pommes de terre et des haricots, j'en ai l'eau à la bouche. Il ne m'était jamais venu à l'esprit d'apprendre comment elle faisait.

Il ne m'était jamais venu à l'esprit non plus qu'elle pourrait mourir.

J'aurais trop de peine si je me débarrassais de ses moutons. Une des pires choses que j'ai eu à faire, ce fut d'entrer dans sa chambre, juste après sa mort. Jeter des vêtements qui avaient encore son odeur, tripoter ses lunettes de presbyte, ses flacons de médicaments et ses explications de tricots. Personne ne m'avait préparé à ça. Alors j'ai choisi de faire au plus simple, j'ai tout mis dans quelques vieilles valises que j'ai montées au grenier. Et sa chambre, je l'ai laissée telle quelle, sauf que j'ai enlevé les draps du lit. Sur le rebord de la fenêtre, elle avait tout plein de ces plantes avec de petites fleurs bleu-violet. Je suppose qu'elles sont mortes maintenant.

Qu'est-ce qu'elle veut dire avec cette foutue expression, choc culturel ?

Ce matin, j'étais en ville pour régler deux, trois trucs. Plusieurs fois, j'ai eu l'impression de la voir.

A la Coop, à la quincaillerie de Berggren, à la laiterie !

Bengt-Göran est passé me voir deux soirs de suite, sans doute pour mater de plus près ma copine dépravée de la ville.

— Je ne sais pas trop si je vais la faire revenir, ai-je dit.

Bengt-Göran suffoquait d'admiration muette. Qu'il aille donc croire que je consomme les femmes à la pelle pour les jeter ensuite.

Il n'a pas besoin de savoir qu'elle me manque ni que je monte le téléphone avec moi le soir pour le brancher dans la chambre.

21

"L'effroi saisit les chérubins !
Auprès de Dieu ils se réfugièrent : `
Oh, Seigneur, regarde
ce que Salamite et Sulamit ont construit !"
de *La Voie lactée* de Zacharias Topelius*

Märta était enfin rentrée de Copenhague. Elle m'attendait après le boulot avec un pack de Tuborg Elephant et un souvenir, un couple d'amoureux nus en plastique sous cloche avec de la neige artificielle. Nous sommes rentrées chez moi faire du thé et nous étendre sur les canapés.

Elle répondit évasivement quand je demandais ce qu'ils avaient réellement fait à Copenhague.

— Ce n'est pas le moment de parler de moi, dit-elle. Et tu le sais très bien !

Alors je lui ai fait un compte rendu intégral de cette dernière semaine. Essayer de taire quoi que ce

---

* Zacharias Topelius, poète romantique finlandais d'expression suédoise (1818-1898). *(N.d.T.)*

soit à Märta est un gaspillage de temps, elle réussit quand même à pêcher ce qu'elle veut dans les eaux troubles de votre for intérieur.

Je ne lui ai rien épargné. La stèle vulgaire, la casquette de blaireau, les points de croix, les chiures de mouches et le revêtement mural en mousse.

Elle eut une moue de dédain.

— J'ai du mal à te comprendre, dit-elle. Il m'a l'air d'avoir tout ce qu'il faut, cet homme-là, pour devenir un bon petit camarade de jeu ! Et toi, tu te lamentes pour quelques détails d'aménagement d'intérieur ! Qu'est-ce que ça peut te faire s'il a des points de croix sur les murs ? D'ailleurs, ce n'est pas lui qui les a brodés, je suppose qu'il n'a simplement pas voulu balayer le souvenir de ses parents. Tu imaginais que tous les intérieurs paysans en Suède ressemblaient à un tableau de Carl Larsson ?

Je m'arrêtai. Effectivement, si je m'étais jamais fait une représentation des intérieurs des paysans suédois, je crois bien que c'était quelque chose dans le style de Carl Larsson. Grande cuisine avec un feu crépitant dans l'âtre, des marmites de cuivre sur le fourneau et des couronnes de seigle enfilées sur une barre suspendue au plafond. Je me sentis visée et élevai la voix.

— Mais tu sais tout aussi bien que moi qu'il ne s'agit pas de détails d'aménagement ! Il s'agit de styles de vie qui entrent en collision ! Jamais un point de croix ne franchira ma porte, et il est probable qu'un Käthe Kollwitz ne franchira jamais la sienne – ce n'est pas uniquement une question de goûts, autant se l'avouer une bonne fois pour toutes !

— Alors pourquoi est-ce que tu as mis l'affiche avec le couple dans le coquillage sur ton mur ? demanda-t-elle, pleine de ruse.

— Parce qu'il m'avait fait tellement plaisir... murmurai-je.

Elle hocha la tête d'un air entendu.

— Mais très sincèrement, est-ce que tu arrives à m'imaginer, moi, sur un tabouret à trois pieds avec un seau à lait entre les genoux ?

— Mais merde, tu n'étais pas chez lui pour un entretien d'embauche ! rugit Märta. Ce gars t'a offert ta meilleure baise depuis des années, peut-être depuis toujours. Et il t'a fait rigoler, c'est plus que ce qu'on peut dire de l'espèce d'ami des oiseaux qu'était ton mari. Alors, qu'est-ce que ça peut bien faire, quelques chiures de mouches ? Tu es une foutue trouillarde ! Tu n'as qu'à te servir ! Sinon, tu peux aller tout droit te fourrer la tête dans ta housse de couette immaculée !

— Qu'est-ce que je dois faire alors ? Je ne sais pas comment il raisonne ! Il n'a pas donné signe de vie !

Märta brandit la boule avec les amoureux sous la neige.

— Bon, maintenant tu prends ce bidule et quelques Tuborg, tu comprends, et puis tu achètes un paquet de boulettes de viande surgelées, et tu vas là-bas lui faire la surprise demain soir. Il a fait le premier pas, à toi de jouer maintenant si tu ne veux pas que tout tombe à l'eau. Je te prête ma voiture !

Tout à coup, Salamite et Sulamit me vinrent à l'esprit. Ce sont deux personnages dans *La Voie lactée*, ce poème de Zacharias Topelius dont je suis tombée amoureuse quand j'étais petite bien que je n'en aie pas compris grand-chose. Je l'ai appris par cœur, avec l'aide de maman qui, toute fière, me mettait debout sur la table et me faisait le réciter devant ses copines qui n'en avaient rien à faire.

Une femme et un homme, Salamite et Sulamit, habitent séparés chacun sur son étoile et ils s'aiment tellement qu'ils construisent un pont d'astres à travers le firmament. J'eus une brève vision de Benny et moi faisant chacun un pas vers l'autre : Benny assemblait consciencieusement les astres avec du mortier et une truelle, alors que de mon côté j'essayais de sauter d'étoile en étoile comme on saute sur les morceaux de glace qui flottent sur un lac.

Les conseils de Märta ne sont pas toujours bons, mais en règle générale ils font avancer le schmilblick. Le lendemain soir, je mis dans un panier des Tuborg Elephant, des boulettes de viande surgelées, de la salade de pommes de terre en barquette et une tarte aux myrtilles de chez le pâtissier. Et la boule de Märta avec la neige qui tombe sur les deux amoureux, dans un paquet cadeau doré. Puis je pris la voiture et j'allai chez Benny.

Personne n'est venu ouvrir quand j'ai frappé à la porte, mais ce n'était pas fermé à clé et il y avait de la lumière dans la cuisine, si bien que je suis entrée. Le néon bourdonnait, une radio noire immense trônant sur la paillasse diffusait une chaîne commerciale tapageuse. Je mis la météo marine et commençai résolument à faire du rangement. Bientôt régnait une sorte d'épaisse atmosphère de bien-être derrière les rideaux informes avec leur galon de petits pompons. Je pris l'assiette incrustée de porridge séché sur la table et la mis à tremper avec l'autre qui flottait déjà dans l'eau froide de l'évier. Puis je fouillai dans les placards pour trouver la vaisselle et les couverts, je dénichai une nappe brodée dans le buffet en chêne du séjour, et je commençai à réchauffer les boulettes de viande dans une poêle en assez mauvais état. Quand j'entendis ses pas lourds dans l'escalier de la cave, j'eus une impression de déjà-vu : ceci s'est déjà produit.

— Eh ben ça alors… Il s'arrêta à la porte, toujours dans sa salopette de travail. Puis il traversa la pièce d'une seule enjambée, faisant voler la paille et la poussière, et il me serra dans ses bras, à me déboîter la carcasse.

— Oh, des boulettes de viande ? rigola-t-il. Et c'est toi qui les as préparées, petite et pâlotte que tu es ?

— Ne crois surtout pas que ça va devenir une habitude ! murmurai-je le nez dans son ignoble laine polaire orange.

22

C'était ce qu'elle pouvait faire de mieux – même si je commençais à en avoir marre de manger des boulettes de viande. Violette m'en avait donné une bassine pleine, ça faisait trois jours que je m'en empiffrais.

Elle est restée dormir chez moi, et quand j'ai mis des draps propres, elle a dit qu'elle avait ses règles et qu'elle espérait qu'il n'y aurait pas de fuite.

Aucun problème, je ferai avec, ai-je pensé, parce que j'aimais bien qu'elle dise ça. Ça faisait très intime, oui, ça dégageait un bien-être confortable. On ne se pointe pas chez des amants temporaires quand on vient d'avoir ses règles. Elle m'a pour ainsi dire élevé au statut de permanent. Faire l'amour, ça pouvait attendre, elle n'était pas venue pour ça.

D'ailleurs, je crois que ça me plairait d'avoir une tache d'elle sur mes draps. Il y a sans doute un nom latin pour ce genre de perversion.

On est restés au lit à bavarder pendant des heures. De vraies pipelettes, et gais comme des pinsons. Je m'en souviens très bien.

— Choc culturel, choc culturel, je vais t'en donner un, de choc culturel ! ai-je dit. Je vais me trouver un costume national ! Pantalon jaune, et veste avec double boutonnage et boucles d'argent. Et c'est toi qui tisseras le tissu pour le gilet, tu entends ! Ensuite je me pavanerai sur le parvis de l'église le dimanche, je glisserai les pouces dans le gilet et parlerai du temps et de la récolte avec les autres paysans et tout le monde m'appellera Benny le Grand de Rönngården et ils sauront tous qui je suis ! Et toi, tu te tairas, tu prépareras le café après l'office !

— Il y a cent ans, je suppose que tu aurais été un vrai grand fermier ? Avec vingt-quatre vaches ?

— Un peu mon neveu ! Et juré au tribunal rural et marguillier aussi, tant qu'à faire. Gros paysan avec plein de valets à commander, et des bonnes aux jolies fesses à pincer. Les villageois auraient demandé conseil à Benny le Grand et ils m'auraient supplié de siéger au conseil du canton ! Et à la place, qu'est-ce que j'ai ? Je cours comme un dératé entre les machines et je n'ai même pas le temps d'aller à une réunion de la Conf'.

— Est-ce que tu aurais demandé la main de la jouvencelle maigrichonne de la ville qui ne possède en tout et pour tout qu'un coffre rempli de livres ?

— Oh non ! Benny de Rönngården est évidemment obligé de se marier avec la grosse Brita de la ferme voisine pour agrandir la propriété. Mais j'aurais engagé la maigrichonne comme bonne et je serais allé la rejoindre sur la banquette de la cuisine la nuit et je l'aurais engrossée. Et j'aurais honnêtement pris en charge ces enfants-là, et j'en aurais fait des bergers et des bergères, quoi que dise la grosse Brita.

— Mais un jour, la bonne maigrichonne se sauverait pour suivre Emil le Violoneux ! Qu'est-ce qu'il fait alors, Benny ?

— Alors il met ses mômes à la porte aussi, et il engage une nouvelle bonne pour la banquette de la cuisine ! Une plus jeune !

Elle m'a tapé dessus avec l'oreiller, et on s'est battus un petit moment. J'ai été obligé d'abandonner la partie, sinon c'était la douche froide.

Sa respiration s'est calmée.

— Je ne serai jamais une bonne sur ta banquette, tu le sais, non ? a-t-elle dit. Et c'est tant mieux, je ne vaux rien. Je ne sais pas faire le pain, je ne sais pas faire la lessive, ni préparer les abats de cochon. La femme du fermier, elle est censée saigner le cochon et récupérer le sang fumant et en faire une sorte de plat dégueulasse, non ?

— Aucune idée, nous, on achète la viande par retour de l'abattoir. Dépecée et prête à l'emploi.

Il y a eu un silence.

— Mais quand tu as parlé de me rejoindre sur la banquette de la cuisine et de m'engrosser… a-t-elle dit, comme à elle-même. J'ai le bas-ventre qui se met à vibrer quand j'entends des trucs pareils. Avec le tampon et tout. L'horloge biologique se met à tourner comme une folle.

Je me suis retourné sur le ventre avec un gémissement.

— Fais attention à ce que tu dis ! Je vais finir par engrosser les draps tout propres, on aura un tas de petites taies d'oreiller à élever !

Elle s'est endormie, ma main mutilée contre ses lèvres, encore.

23

J'appelle chez mes parents :
Tonalité de réorientation
"Il – n'y – a – pas – d'abonné – à – ce – numéro !"
Le répondeur non plus n'a pas de réponse

Et nous avons entamé le laborieux processus conduisant à mieux nous connaître.

Notre marge de manœuvre avait beau paraître relativement confortable, tout ne roulait pas sur des rails pour autant.

Nous avions tous deux perdu nos parents – lui définitivement, moi pratiquement. Maman est dans une maison de santé depuis cinq ans et elle me reconnaît rarement. Papa donne l'impression que je le dérange plus qu'autre chose les quelques fois où je vais le voir, surtout si j'essaie de parler avec lui.

D'ailleurs, il était comme ça aussi quand j'étais petite. Il n'aimait pas tout le bavardage sur ce qu'il appelait "des affaires de bonnes femmes" : la maison et les enfants, la cuisine, les vêtements, les meubles, et bien sûr tout ce qui entrait sous la rubrique "sentiments". Dans la catégorie affaires de bonnes femmes, il rangeait aussi l'art, la littérature et la religion… Ce qu'il détestait le plus, c'était tous les maux qui touchaient au corps féminin. Il ne fallait absolument pas les évoquer quand il était présent, on aurait dit qu'il avait peur d'être contaminé par des microbes de nana. Dès que la décence le lui permettait, il disparaissait à la caserne. Il était commandant dans l'armée.

Parfois je me suis demandé si en fait il n'était pas homosexuel. Ça fait bizarre de penser cela, mais je n'ai jamais été très proche de mon père. Je veux dire, c'est classique que les enfants ressentent un frisson d'effarement en se disant que leurs parents l'ont fait, "ça", et ils comptent leurs frères et sœurs et pensent : "Ils ont dû le faire au moins trois fois." Dans mon cas, c'était vraiment justifié de se demander s'il l'avait fait plus d'une fois, en tout cas avec maman. J'ai décidé de ne pas y penser du tout, seulement d'essayer de me réjouir que ça ait eu lieu au moins cette fois-là.

Si bien que maman n'avait que moi pour s'occuper. J'étais la poupée qu'elle a fini par avoir, et elle m'aimait de l'amour surpuissant de celle qui a patienté trop longtemps. La longue attente ne lui avait pas vraiment donné de sens critique, ni de clairvoyance.

Elle venait d'un milieu fortuné. Mon grand-père avait une industrie de conserves qui prospérait pendant la guerre – de ce que je sais du bonhomme, il avait fondé sa fortune sur des renards et des écureuils qu'il appelait du gibier. Papa était issu d'une Famille et un jour j'ai entendu jaser les dames dans la bande de bridge de maman, elles disaient qu'il s'était marié avec maman parce qu'il avait de grosses dettes de jeu. Ça me paraît un peu démodé, mais ça peut très bien être la vérité aussi. Il y a un lien direct entre ceux qui se tiraient une balle dans la tête devant le casino de Monte-Carlo au début du siècle et ceux qui se démènent avec les machines à sous dans les galeries marchandes aujourd'hui. Si vous appelez papa pendant le tirage du Loto, c'est à vos risques et périls.

Maman se teignait les cheveux quand j'étais petite, une nuance jaune cuivré, et elle les arrangeait en boucles rigides avec son Carmen Curlers. Elle avait près de quarante ans quand elle s'est mariée, quarante-deux à ma naissance, et elle n'avait jamais eu à travailler pour vivre. C'est elle qui m'a baptisée Désirée, et pour cause. L'intention était bonne mais j'ai eu le temps d'apprendre à haïr mon prénom au cours de ma scolarité. J'étais régulièrement prise pour cible par les autres enfants qui évidemment m'appelaient Diarrhée.

J'aurais voulu m'appeler Kitty. Ou Pamela.

Ils finissent peut-être tous têtes de Turc à l'école quand ils doivent affronter la cruelle réalité, ces enfants à qui leurs parents renvoient une image de huitième Merveille du monde.

Quoi qu'il en soit, le mariage de mes parents était parfaitement invisible. Ils fonctionnaient dans une sorte de colocation, totalement indépendants l'un de l'autre, dans un grand appartement avec parquet en chêne et pièces en enfilade où maman avait choisi les meubles et où papa accrochait son képi. Ils ne se disputaient jamais en ma présence et probablement pas en mon absence non plus. Papa mangeait en général au mess des officiers, maman et moi partions ensemble passer les vacances dans différentes pensions de famille. Papa était toujours "en manœuvres".

A la maison, nous n'avions pas spécialement de vie sociale, ni de fêtes dignes de ce nom – parfois il y avait les dames du bridge avec leurs maris, ou les collègues de papa avec leurs épouses pour des dîners ennuyeux avec trois plats différents et une serveuse engagée pour la soirée. Du madère dans des verres de cristal et des petits cigares dans un distributeur spécial. On me faisait venir pour saluer, je voyais des jambes et des bras osseux pointer des robes en velours achetées pour l'occasion, des messieurs rubiconds me tapaient dans le dos à me faire tousser et disaient qu'il fallait la sortir davantage en plein air, cette petite, pour qu'elle prenne un peu de couleurs. Maman avait plus de boucles que d'habitude.

Je ne voyais jamais maman et papa se toucher, même pas marcher bras dessus bras dessous.

Alors comment voulez-vous que je sache à quoi doit ressembler un mariage ? Il ne faut pas s'étonner si je trouvais qu'Örjan et moi avions une relation exemplaire. Il est normal aussi que je n'arrive pas à le pleurer. Les hommes existent, ou n'existent pas, c'est surtout une question de savoir combien de côtelettes il convient d'acheter pour le dîner. Leur présence n'a pas d'autre signification, voilà le message que j'ai reçu dans mon enfance.

Je suis totalement prise au dépourvu par quelqu'un comme Benny. Il y a des jours où je trouve qu'il empiète sur mon territoire et vient envahir mes pièces les plus intimes, des jours où il me sort par les yeux. Cela ne m'arrivait jamais avec Örjan, qui était pleinement heureux d'exister un peu en périphérie, et ça, je pouvais le supporter.

Et puis il y a les autres jours.

24

Désirée – j'ai du mal avec son prénom. Il sonne à la fois cassant, constipé et hautain, tout ce que je croyais qu'elle était au début. Moi, je l'appelle la Crevette. Ça lui va tellement bien que c'en est presque méchant. Pâle, recroquevillée sur ses parties molles, une carapace autour. Et de longues antennes.

Il y a tant de choses en elle que je ne comprends pas.

Elle regardait longuement une photo de mes parents que personnellement j'aime énormément. Ils prennent le soleil allongés sur un rocher, à moitié nus, les bras et les jambes entortillés. Ils sont joue contre joue, plissent les yeux au soleil et sourient.

La photo la mettait mal à l'aise, elle la trouvait trop privée.

— Après tout, ce sont tes parents, a-t-elle dit. Tu ne trouves pas qu'elle est un peu... eh bien trop personnelle. C'est presque choquant.

Choquant ?

Elle a tout le temps froid, j'ai beau chauffer la maison. Quand je meurs d'envie d'ôter ma chemise, elle garde son pull et met de grosses chaussettes. Elle adore quand je reste sans bouger et passe ma main sur ses cheveux, des caresses vigoureuses et régulières, alors elle se blottit dans mes bras comme un chaton d'été affamé qui a enfin trouvé un maître.

Mais elle est tout sauf désemparée et dépendante ! Des fois quand on a prévu de se voir, elle annonce simplement qu'elle a changé d'avis et qu'elle préfère aller au cinéma avec une copine, je trouve ça assez difficile à gérer. Ou quand elle sait que j'ai un boulot monstre et pas le temps de venir en ville et qu'elle annonce seulement à l'autre bout du fil : "Bon, alors on se verra peut-être la semaine prochaine." Jamais "Eh bien, alors je viens chez toi !".

Je voudrais l'atteindre, et pour tout dire je voudrais l'attacher, mais puisqu'elle semble me vouloir seulement parfois, je ne peux pas me montrer exigeant et ça me fout dans une telle frustration ! Et on pourrait quand même exiger aussi qu'une fois de temps en temps elle participe aux tâches ménagères ! Qu'elle m'aide avec le contrôle laitier et manifeste de l'intérêt pour ce que je fais ! Je sais que je suis habitué aux femmes qui servent de troisième bras à l'homme, et je n'ai jamais eu l'intention de lui demander de faire des gâteaux, mais ça me coûte de la voir rester sans bouger, le nez dans le journal, alors que moi, je cours comme un fou pour tout faire !

En réalité je me verrais bien devenir bigame – être à la fois avec Violette et la Crevette. Violette serait en bas à coudre des rideaux et préparer des salaisons, et dans la chambre, ma crevette se blottirait sur ma poitrine et rirait de son rire silencieux et rauque. Ce rire est désormais ma récompense et je fais presque n'importe quoi pour l'entendre. C'est comme un de ces appareils qu'ils ont dans les fêtes foraines pour mesurer sa force. On doit frapper avec un gros marteau sur une pointe et ça fait grimper un curseur sur une échelle graduée. Quand on est vraiment fort et qu'on enfonce la pointe jusqu'au bout, il y a une cloche qui sonne.

Son rire, c'est cette cloche-là. Ce n'est pas souvent que je la fais sonner, mais ça arrive. Et je me rends très bien compte si j'ai monté le curseur jusqu'à quatre-vingt ou si j'ai complètement loupé mon coup.

— Il faut toujours que tu fasses ton intéressant, Benny ! dit Violette sur un ton de reproche. Mais elle trouve que je suis un vrai mec, comme son Bengt-Göran, quand je conduis le gros tracteur avec les roues jumelées ou quand j'enfile mes vêtements de sécurité et pars dans la forêt avec la tronçonneuse.

La Crevette est tout le contraire. Je sens que c'est mon côté "intéressant" qui maintient son attention, mais qu'elle me trouve surtout fatigant quand je prends mon casque et mets en place le tabac à chiquer.

Où en est le progrès médical en fait – ne pourrait-on pas envisager de transplanter la petite âme compliquée de la Crevette dans les seins moelleux et les poignes travailleuses de Violette ?

25

Je me suis arrangée
avec cette vie trépidante et désordonnée
Je lui colle des étiquettes, je la range dans des dossiers
et hop, aux archives !

Aujourd'hui il s'est passé un truc assez effrayant. Rien que d'y penser, j'ai encore des frissons dans le dos.

Madame Lundmark n'est pas venue au travail hier. Ça a commencé comme ça.

Nous avons mis un moment d'ailleurs avant de nous en apercevoir. Souvent, elle arrive avant tout le monde, accroche son manteau et son petit chapeau de fourrure dans son bureau et descend aux archives pour… Eh oui, au fait, que fait-elle quand elle n'est pas dans la section Jeunesse ? Nous supposons tous qu'elle fait du catalogage, qu'elle trie et élimine, mais personne ne demande, et la position qu'elle occupe est telle que personne n'a de raison de remettre en question son travail. Elle passe de plus en plus de temps aux archives en faisant simplement savoir à

Britt-Mari ou à moi qu'elle nous laisse la section Jeunesse.

Nous nous sommes rendu compte de son absence à midi seulement. Madame Lundmark est *toujours* assise à la fenêtre et elle mange *toujours* du muesli avec du lait caillé en lisant un catalogue de la Centrale des bibliothèques. Si par hasard le silence se fait dans la pièce, on entend ses voies respiratoires qui sifflent, sinon elle ne se manifeste guère.

Elle reste là de midi une à midi cinquante-cinq. Alors elle se lève, lave son bol de muesli et le pose sur l'égouttoir. Puis elle va aux toilettes. Depuis toujours, ça nous fait rigoler. Ce n'est pas donné à tout le monde de régler sa montre sur son estomac.

Nous nous y sommes tellement habitués que ça fonctionne un peu comme une sirène d'usine : nous savons que c'est l'heure d'aller déjeuner quand elle passe le rayon Musique, en route pour la salle du personnel, et notre salivation se déclenche immédiatement comme chez les chiens de Pavlov. Parfois il suffit d'entendre sa respiration pour avoir faim. Et quand elle se lève et se dirige vers la paillasse après avoir aspiré son lait caillé par petites gorgées pincées, nous nous dépêchons de terminer nos conversations. Nous n'avons même pas besoin de jeter un regard sur nos montres.

Hier elle n'est pas venue manger. Elle ne s'était pas non plus signalée malade et n'avait pas demandé un congé. Nous en avons parlé pendant peut-être deux minutes – jamais, sans doute, nous n'avons autant parlé d'elle depuis que je travaille dans cette bibliothèque. Aucun de nous n'a jamais vraiment croisé son chemin, collaboré avec elle ou été en conflit avec elle. Mais nous ne l'évitons pas, nous parlons tous les jours avec elle de la pluie et du beau temps et des horaires de travail. C'est toujours elle qui se charge du cadeau à offrir aux anniversaires importants, aux départs à la retraite ou quand quelqu'un a eu un bébé. Elle a ce don inattendu de toujours choisir des cadeaux qui conviennent pile-poil – conventionnels certes, mais exactement ce qui fait plaisir aux gens. Donc, pendant deux minutes nous nous sommes demandé où elle était. Puis comme d'habitude nous nous sommes dit que ce n'était pas notre problème, et chacun est parti à ses occupations.

Mais elle n'était pas là aujourd'hui non plus. Alors nous en avons parlé pendant trois minutes. Puis nous sommes allés jusqu'à demander à Olof s'il était au courant de quelque chose. Ce n'était pas le cas, et lui aussi ignorait totalement comment elle organisait son travail. Une fois il avait essayé de discuter de ses tâches avec elle, et elle s'était lancée dans un compte rendu qui avait duré la moitié de l'après-midi.

— Elle a eu les joues toutes roses quand je lui ai demandé, a dit Olof, elle s'est précipitée pour aller chercher un registre qu'elle tenait et ensuite elle a raconté en long et en large un système de triage qu'elle avait mis sur pied. J'ai été obligé de prétexter un rendez-vous chez le dentiste. Je veux dire, comment aurais-je pu lui faire abandonner son registre manuscrit pour se mettre à l'informatique ?

Aucune routine de la bibliothèque ne semblait dérangée par l'absence de madame Lundmark. Depuis quelque temps, je me suis souvent retrouvée seule à assumer la section Jeunesse et j'ai toujours apprécié qu'elle me laisse les mains libres. Non, là j'y mets trop de formes : disons plutôt que je m'estimais plus compétente qu'elle et que j'aurais été terriblement irritée si elle avait essayé de se mêler de ma façon de gérer la section. Si bien que pour moi elle n'était guère qu'un meuble de bureau très peu fonctionnel, que nous pourrions très facilement passer à la trappe lors de la prochaine restructuration.

J'ai téléphoné chez elle. Un répondeur m'a annoncé que j'étais bien chez Inez Lundmark qui momentanément ne pouvait pas prendre la communication. J'ai appelé "Inez ? Inez ? C'est moi, Désirée !" deux, trois fois, au cas où elle aurait été là sans vouloir répondre, mais je ne savais même pas dans quelle pièce ma voix résonnait, ni même si elle et moi étions intimes à ce point-là – je n'avais jamais utilisé son prénom auparavant.

Je ne suis pas du genre bon Samaritain. En principe, ça aurait été beaucoup plus logique que Liliane se torde les mains et dise qu'il fallait "qu'on fasse quelque chose" – et nous aurions tous compris que "on" signifiait nous autres. Et Britt-Mari, mère de cinq enfants et qui est celle de nous tous qui a le moins de temps disponible, se serait chargée de la corvée.

Mais cette histoire d'Olof et son prétexte du dentiste pour se débarrasser de madame Lundmark (Inez. Inez ?) qui essayait avec tant d'enthousiasme de lui expliquer un système de classement, j'en ressentais tout le poids dans mon cœur. Ou plutôt dans la région de la vésicule biliaire. Une pression, un vague mal-être.

Je demandai à Olof de m'accorder une heure ou deux pour aller vérifier chez elle. Elle n'avait pas fait de déclaration de maladie et Olof ne savait pas très bien à qui léguer le problème, si bien qu'il hocha la tête et parut soulagé de me voir partir.

Elle habitait un grand immeuble en brique, sombre et sale, qui avait connu des jours meilleurs. La cage d'escalier était décorée de plinthes en faux marbre et de niches qui avaient probablement été garnies de statuettes un jour. Quelqu'un avait tagué *Fuck your ass !* à la bombe dans les creux.

Elle ouvrit sa porte vernissée marron à la première sonnerie. Il y avait une chaîne de sécurité à l'intérieur. Elle n'hésita qu'une brève seconde avant de la détacher et de me faire entrer.

— Bonjour, Inez ! dis-je avec un sourire forcé. Comment vous allez ? On s'est inquiétés à la bibliothèque !

Elle murmura quelque chose et fit un vague geste vers le séjour, et je la suivis dans une grande pièce nue avec des armoires d'archivage le long de deux murs. Des armoires d'archivage ?

— Vous vivez… seule ? demandai-je. La question était mal tournée. Il n'y a pas de monsieur Lundmark ?

— Dès les années soixante, on a commencé à dire madame en parlant de femmes célibataires aussi, dit-elle en avançant un peu le menton. Il me semble que c'est *Dagens Nyheter* qui a été le premier. A moins que ce ne soit les hôpitaux, pour éviter la honte aux mères célibataires.

Qu'est-ce que je devais dire ? Qu'on se fichait éperdument de savoir si elle était mademoiselle ou madame ?

— Je ne me suis pas sentie très bien, dit-elle ensuite. J'espère que vous m'excuserez. Ça va passer.

Excuser ? Et la déclaration de maladie, et les indemnités journalières, et le certificat médical ? A ma connaissance, elle n'avait jamais été malade auparavant. Elle n'était peut-être même pas au courant qu'on ne pouvait pas simplement rester chez soi et ensuite s'excuser. Mais, après tout, je n'étais pas venue la voir en tant que représentante des autorités.

Il y eut un silence.

— Qu'est-ce qu'il y a dans vos archives ? demandai-je, sans particulièrement m'adresser à elle.

Elle regarda par la fenêtre un petit moment. Il y avait des stores vénitiens avec des lamelles blanches et turquoise délavées en alternance, comme on les faisait dans les années cinquante.

— Tu es une gentille fille, toi, dit-elle finalement. Beaucoup plus gentille que tu ne le crois. Alors si tu veux, je peux te montrer.

Ce qu'elle fit.

Deux heures plus tard, je dévalai ses escaliers de pierre usés et sonores, les larmes aux yeux. Il fallait que je parle à quelqu'un, et pour une fois Märta n'était pas la première qui me vint à l'esprit. Je lui avais trop souvent décrit la régularité des fonctions intestinales de madame Lundmark. Je trouvai une cabine téléphonique et j'appelai Benny.

506 Amersfort ne s'est pratiquement pas servie de sa patte avant gauche ces dernières semaines. Ses onglons ont trop poussé, on dirait une vache Disney et j'ai peur qu'elle ait déjà chopé une fourbure. Ça me file la nausée rien que d'y penser. Pendant qu'elles sont là, les vaches, à piétiner dans leur merde, la pourriture les ronge. Papa veillait toujours à faire parer les sabots à temps. Quand le tailleur de sabots venait, je remplaçais papa dehors – mais qui vient me remplacer, moi ? Tous les jours pendant que je me coltinais le labour d'automne, je me disais que je devais appeler le pédicure, mais il faut aussi que je trouve le temps pour l'assister. Et une chose est sûre : ça n'arrange rien d'être plongé dans des rêveries à dix mille lieux de la réalité. Si elle savait ça, Désirée, que son sourire de vacances d'été est en train de rendre ma meilleure vache boiteuse.

J'ai fini par mettre la main sur ce pédicure bovin, il est arrivé un matin et on s'y est mis. On était entrés boire un café au bout d'une paire d'heures, quand Désirée a appelé. J'ai fermé la porte de la cuisine et me suis préparé à dire une chose ou deux qui n'étaient pas destinées aux oreilles du pédicure. Mais elle n'appelait pas pour bavarder. Elle sanglotait au téléphone.

— Il faut que je vienne te voir maintenant tout de suite, j'ai besoin de te parler, a-t-elle dit. Quand est-ce qu'il y a un car ?

J'ai senti mes cheveux se dresser. Le jour J. Maintenant elle allait me raconter qu'elle en avait assez et plus qu'assez de moi et ensuite je n'aurais que les sabots de 506 Amersfort pour passer la journée. La vie serait de retour à la case Départ, après il n'y aurait plus qu'à recommencer à tourner sur ce foutu plateau de jeu, pour les siècles des siècles, amen.

Je voyais à quoi je ressemblais dans la glace du vestibule. Un vieux bonnet crasseux, en laine marron et orange. Et en dessous, des cheveux comme de la bourre filée, bien plus fins que dans mes souvenirs. C'était moi, ça ? Quand est-ce que je m'étais regardé dans une glace la dernière fois ? Et dire qu'elle se donnait la peine de prendre le car pour me l'annoncer en face ! Une chic fille, vraiment !

Découragé, je lui ai donné les horaires, puis je me suis traîné dans l'étable pour finir le boulot avec le pédicure. Ensuite j'ai fait la traite et elle est arrivée juste quand je venais de distribuer l'ensilage, avec le bonnet aux champignons enfoncé jusqu'aux oreilles et les mains dans les poches. En faisant très attention, elle est montée sur le banc d'alimentation et elle a marché jusqu'à moi, tout le long, en esquivant les coups de tête des vaches avec de petits sauts nerveux. J'ai posé la brouette et je n'ai plus bougé, j'étais tendu comme un arc.

Elle est venue vers moi, elle m'a pris dans ses bras et a posé la joue contre ma combinaison dégueulasse.

— Comme tu es normal, a-t-elle dit. Et ce bonnet que tu as, comme il est laid ! Elle l'a dit sur un ton style : "Ecoute mon chéri, c'est notre mélodie qu'ils jouent !"

Aussitôt, il y a eu plus de lumière dans l'étable, je le jure. Ça arrive parfois les soirs à la fin de l'été, quand on arrête le ventilateur du foin et que tout à coup il y a assez d'électricité pour fournir les lampes en watts. Tout s'éclaire, et on réalise que mais oui, c'est ça, l'éclairage normal !

Elle n'était pas venue pour rompre.

On est entrés faire du thé et j'ai sorti le reste des petits pains à la cannelle surgelés que j'avais achetés pour offrir au pédicure. Ensuite elle a parlé de sa collègue qui avait perdu la boussole.

27

Ma vie est devenue trop petite
j'aurais besoin de quelque chose de nouveau sur le dos
ça ne fait rien si c'est de la fripe

Inez avait acheté ses armoires d'archivage quand la caserne a fermé dans les années soixante-dix. Pendant vingt ans, elle y avait classé des dossiers.

D'abord sur des membres de sa famille, jusqu'à la septième génération. Elle avait fait de la généalogie. C'est comme ça que ça avait commencé, je le compris par la suite.

Mais pourquoi seulement recueillir des données sur des personnes mortes depuis longtemps ?

Elle s'était alors mise à faire des dossiers sur ses voisins, ses collègues, d'anciens camarades de classe. Des amis, elle n'en avait pas.

— Ça ne m'a jamais intéressée de me faire des amis, dit-elle de façon très terre à terre. Tout devient tellement réciproque et compliqué. On ne se sent pas libre.

Elle avait des dossiers sur la caissière du Konsum du quartier, sur le concierge et sur le facteur. Ils étaient assez maigres.

— C'est difficile de trouver des renseignements sur eux, s'excusa-t-elle. Il m'arrive de faire des observations directes et parfois je vais chercher des renseignements dans les pages Famille des journaux. Mais je ne vais pas les voir chez eux.

— Des observations directes ? dis-je.

Elle sourit avec satisfaction.

— Tu ne t'en es jamais rendu compte, n'est-ce pas ?

Rendu compte ? Comment ça ?

— Ce n'est pas de l'espionnage, dit-elle. Ça ne m'intéresse pas du tout d'intervenir dans la vie des gens, je ne veux faire de mal à personne, ni venir en aide à qui que ce soit d'ailleurs. Je n'ai absolument aucune intention de me servir de ces données. Ce que je recueille n'a en général pas le moindre intérêt. Et de toute façon je me suis arrangée avec un avocat pour qu'il détruise l'ensemble des documents sans les lire si je venais à disparaître. Cela dit, je peux te montrer ton dossier, si tu veux.

Elle sortit une boîte d'archivage en métal vert marquée *COLLÈGUES* et en tira un dossier. Il était assez épais.

— Assieds-toi, ordonna-t-elle, comme si j'étais un chien particulièrement dur à la détente. Elle posa le dossier devant moi sur la table.

Il y avait des photos noir et blanc de moi à la bibliothèque, dans une rue et sur mon balcon. Cette dernière semblait avoir été prise d'en bas, de l'autre côté de la rue. Les photos de la bibliothèque étaient un peu floues, comme si elles avaient été prises de loin puis agrandies.

— J'ai tout ce qu'il faut pour développer dans la salle de bains ! dit-elle fièrement.

Il y avait mes horaires de travail jusqu'à la date d'aujourd'hui. Il y avait des circulaires, des comptes rendus de réunions syndicales et des notes que j'avais signées et envoyées aux gens. Il y avait un petit cahier marqué *VÊTEMENTS* où elle avait correctement noté mes couleurs et matières préférées, et quelques commentaires sur des habits que j'avais portés : *"Fête de Noël, jupe rouge plissée, gilet long, chemise avec col en pelle à tarte." "15 mai, veste bleu marine, trop grande. Celle du défunt mari ?"* Il y avait une liste des livres que j'avais empruntés, et des tickets de caisse de l'épicerie où je faisais mes courses.

— Ce sont tes reçus ! dit-elle. Ça te dérange que je t'aie prise en photo sans que tu le saches, et que j'aie récupéré tes tickets de caisse à l'épicerie ?

Très honnêtement, je ne pouvais pas dire ça, surtout pas avec la façon dont elle me dévisageait, la tête penchée sur le côté, insondable comme un moineau.

Je tirai un grand mouchoir blanc du dossier qui dégageait une petite odeur familière. Elle rougit.

— Oui, c'est le tien ! dit-elle. D'habitude, je ne conserve pas d'objets. Mais c'était ce parfum, je voulais trouver ce que c'était. Eternity, non ? De Calvin Klein ? C'est ce que j'en ai déduit, à la parfumerie de Domus.

— Mais qu'est-ce que vous en faites, de toutes ces choses que vous apprenez ? Ce n'est pas simplement parce que vous aimez recueillir et archiver ? Vous avez l'intention d'écrire un roman ?

C'est une idée qui me vint soudain à l'esprit. J'ai entendu parler d'auteurs qui procèdent ainsi.

— Pas du tout, fit-elle, irritée. Il y a déjà beaucoup trop de romans comme ça. Mais… eh bien parfois… il m'arrive d'essayer vos vies, un peu comme quand on essaie des vêtements dans une boutique. Des habits qu'en fait on n'a pas du tout l'intention d'acheter, mais on a envie de se voir avec quelque chose de nouveau sur le dos ! Je m'installe sur le balcon et je pense que je suis toi, sur ton balcon, un jour de printemps, dans ta vieille doudoune et le bonnet avec les champignons, et je grignote ces Finn Crisp que tu achètes tout le temps. Je ferme les yeux et je sens que mes cheveux sont fins et blonds et que je n'ai qu'un peu plus de trente ans. Je veux dire, je me suis préparée à l'avance, j'ai acheté des Finn Crisp, et j'ai presque envisagé d'acheter un petit flacon d'Eternity ! Et je suis là à penser à ce que je vais mettre le lendemain, est-ce que je prendrai la jupe longue verte ou bien le jean et le pull ? Est-ce que je vais déjeuner avec ma copine ou bien aller au cimetière ? Puis je pense à mon mari défunt, oui tu sais, je l'ai souvent vu quand il venait te chercher ! Mais je ne m'y plonge pas spécialement. Tes sentiments réels ne m'intéressent pas tant que ça.

— Il est épais, mon dossier, murmurai-je. Je vois que vous n'avez pas autant de matériel sur Li-liane.

— Sa vie ne m'attire pas beaucoup. Ce sont surtout des observations superficielles que j'ai, parce que quand je suis quelqu'un d'autre il peut m'arriver de poser les yeux sur elle. Et elle a droit à ses cadeaux d'anniversaire, elle comme tout le monde !

Les cadeaux d'anniversaire ! Voilà pourquoi elle était si douée pour trouver le bon cadeau !

— Toi, en revanche, tu as vraiment éveillé ma curiosité, dit Inez. Toi, comme moi, tu es de celles qui préfèrent regarder plutôt que participer. Mais je crois que tu es trop pressée pour archiver ce que tu vois. Ça viendra peut-être.

On aurait dit une institutrice indulgente. Avec le temps, toi aussi tu te retrouveras frappadingue, ma petite ! Mais est-ce qu'elle l'était vraiment ?

— Est-ce que vous pouvez me dire quelque chose sur ma vie que j'ignore moi-même ? demandai-je soudain.

— Oui, dit-elle. Je peux le dire, mais je ne le ferai pas. Ce serait de la triche. Et dangereux peut-être ? Ce serait comme dans ces nouvelles de science-fiction, tu sais, où quelqu'un change un petit détail du passé qui modifie tout le présent. Bon, je ne sais pas. Tout ce que je sais, c'est qu'en réalité je ne fais qu'essayer ta vie, un petit moment de temps en temps. Je l'emprunte seulement. Je ne l'use pas !

J'ai un jour entendu un savant finlandais dire que normal, on ne l'est que tant qu'on n'a pas été suffisamment examiné. Pourquoi est-ce que ce serait plus fou de cartographier la vie des gens que d'observer les oiseaux ? Elle n'était évidemment pas plus folle que moi, et ni amère ni sentimentale. Seulement pratique, efficace et très poétique.

— Le nouveau, dit-elle, il m'intrigue. Soit il n'est absolument pas pour toi, soit il est le seul envisageable.

— Benny ? Oui, Inez, qu'est-ce que je vais faire avec Benny ?

— Je ne donnerai certainement pas de conseils ! dit Inez.

28

Il y a eu un changement, à peu près au moment où elle est venue me voir pour parler de sa collègue. C'était comme si après ça elle commençait à ouvrir les yeux plus souvent que la bouche. Ou quelque chose dans ce style.

Oui c'est vrai, elle parlait beaucoup. Je n'avais rien contre – vu le silence dans lequel j'avais vécu auparavant. Et je trouvais que la plupart des trucs qu'elle disait étaient intéressants, ou marrants ou chouettes. Mais parfois je me demandais s'il y avait une seule chose qu'elle pouvait vivre sans en parler en même temps. Apparemment c'était sa façon de s'approprier ce qu'elle vivait. Comme si elle était obligée de le réduire en purée avant de l'avaler, un peu comme les vieux qui n'ont plus toutes leurs dents.

Il y a d'ailleurs des gens qui utilisent leur appareil photo de cette façon-là. Une fois quand j'étais petit, nous étions en vacances pendant trois jours à Göteborg avec Birgitta, la cousine de maman. Et Birgitta prenait des photos absolument tout le temps : le jardin botanique, le port, la fête foraine, les bateaux-mouches et les tramways. Elle paraissait incapable de se réjouir de ce qu'elle voyait si elle ne le prenait pas en photo. Et ensuite, en hiver, quand elle est venue nous voir et qu'on parlait du voyage en regardant son album photos, on a découvert qu'elle ne se souvenait de rien si elle n'avait pas pris de photo, même pas du serveur farfelu au restaurant qui savait remuer les oreilles. J'imagine le calvaire que ça doit être pour Birgitta si elle loupe une pellicule. Comme perdre quelques mois de sa vie. En plus, ses photos n'étaient pas spécialement réussies.

La Crevette était un peu comme ça. Il lui fallait parler de tout. En réalité, il n'y avait qu'un contexte où ça me dérangeait : au lit. En même temps qu'elle me câlinait et me faisait perdre la tête, elle n'arrêtait pas de parler. Parfois justement de ce qu'on était en train de faire et j'en étais presque gêné : "Mmm, je me demande si le coude est réellement une zone érogène ou si c'est toi qui développes ça… La comtesse de Nivers, tu savais qu'elle avait dessiné une petite carte de son vagin, coloriée à l'aquarelle, pour que ses amants puissent plus facilement la satisfaire ?"

Elle n'arrêtait pas. Et moi je n'avais jamais rien à dire.

Jusqu'au soir où elle est revenue de chez la bonne femme avec ses armoires d'archivage. Au début elle n'a pas semblé avoir envie de faire quoi que ce soit, mais elle voulait rester dormir. Elle s'est déshabillée, s'est couchée sur le dos dans mon lit et a fixé le plafond, sans rien dire. Le simple fait de l'avoir auprès de moi est encore comme un réveillon de Noël pour moi, et je n'ai pas réussi à garder mes mains tranquilles.

Parfois j'ai l'impression que je suis en train d'essayer d'apprendre son corps par cœur, comme si j'avais peur qu'il disparaisse. Je connais ses creux sous les clavicules, ses orteils droits, le grain de beauté sous son sein gauche et le duvet blanc sur ses avant-bras. Si on jouait à colin-maillard, je ne me tromperais jamais, à condition qu'elle soit nue. Je crois que je la reconnaîtrais rien qu'à la manière dont son nez forme un angle qui pointe en l'air. C'est assez marrant, elle se trouve tout à fait quelconque. Moi, j'ignore totalement si elle est belle ou laide, ça n'a aucun intérêt, pourvu qu'elle reste comme elle est.

Ce soir-là, elle n'a pas dit un mot. Je ne savais pas si je pouvais commencer à lui faire l'amour, en général elle montre clairement quand c'est le moment. Puis elle a poussé un long soupir, m'a repoussé sur le dos, a pris mes mains baladeuses et les a croisées sur ma poitrine. Puis elle s'est mise à jouer justement à colin-maillard avec moi, toujours sans dire un mot.

Il paraît que les gens seuls vont chez le coiffeur, chez le dentiste ou chez le podologue tout à fait inutilement, seulement pour sentir les mains de quelqu'un sur leur peau. Elle ne m'avait jamais touché comme ça auparavant – et il n'était pas question de zones érogènes. En tout cas pas pendant un long moment. Je crois que j'étais au bord des larmes. Et je sais qu'elle pleurait. Ses larmes tombaient sur ma main mais quand j'ai essayé de dire quelque chose, elle a posé un doigt sur ma bouche.

— Chut, j'essaie ma vie ! a-t-elle dit. Je ne sais pas ce qu'elle voulait dire, mais à ce moment-là, ça paraissait évident, comme ça arrive parfois dans les rêves.

29

Les caresses de tes mains façonnent pour moi
des épaules et des seins
Tu me donnes des voûtes plantaires, des lobes d'oreilles
et un bébé écureuil entre les cuisses

Il a deux petites cicatrices de varicelle sur la figure, une à la tempe et une au coin de la bouche. Ce matin au boulot, quand j'étais en train de faire une recherche compliquée d'ouvrages de référence sur l'ordinateur, je me suis prise en flagrant délit de frôler les touches du clavier avec l'index comme si c'était son visage et ses cicatrices. Les yeux fermés, je suivais les lettres de P à D, je caressais du bout du doigt les touches légèrement concaves et ensuite j'ouvrais les yeux et regardais mes mains comme si je ne les avais jamais vues auparavant. Ces doigts blancs et osseux ont perçu le duvet le long de ses vertèbres, les creux de ses clavicules et les veines qui serpentent sur ses avant-bras, et ils ont suivi la ligne de ses poils du nombril vers le bas…

L'existence est devenue tellement physique, je sens que je suis en train d'en perdre le contrôle. Des gens m'ont raconté que quand ils avaient arrêté de fumer ils sentaient tout à coup l'odeur du thé, le goût de la crème fraîche, et le printemps se transformait pour eux en une symphonie de parfums. Mes organes tactiles semblent avoir fait ce pas-là, je sens que la chaise est souple et flexible sous mes cuisses, que le revêtement en lin est rugueux sous la main, qu'il se produit une petite sensation supplémentaire quand on se passe une plume sur les lèvres. Si ça continue comme ça, les gens vont se tapoter la tempe et lever les yeux au ciel en me voyant tripoter le monde qui m'entoure.

J'ai été obligée d'appeler Märta. Quand je lui racontai que j'avais caressé les touches de mon clavier, elle émit un bruit très étrange, une sorte de roucoulement bas, chaud et protecteur, un peu comme si elle voulait dire qu'elle était contente pour moi. Mais tout ce qu'elle me dit, c'était de prendre garde à ne pas me faire coincer pour harcèlement sexuel d'équipement informatique.

Je n'ai jamais été un être sensuel, la vie avec Örjan me l'avait fait comprendre. Je le prenais avec philosophie, ou allez savoir si je n'en tirais pas une certaine fierté, comme si cela faisait de moi un être de raison, élevé au-dessus des comportements plutôt bestiaux. Les suppléments sexe des tabloïds du dimanche soir m'exaspéraient au plus haut point : "Appuie par ici et passe ta langue par là", parfois avec la mention "ainsi tu es sûre de garder son amour…". Ça paraissait tellement pragmatique, tout cela, comme un cours sur l'art de poser du carrelage dans la salle de bains en réalisant un bord à bord impeccable. Je veux dire, je n'ai rien contre un enseignement pratique mais qu'on ne vienne pas prétendre qu'ils parlent d'amour. Je refusais d'embrasser une carrière d'odalisque, j'avais suffisamment de soucis d'efficacité au boulot.

Örjan comprenait et endossait volontiers le rôle de l'Homme qui avait toujours Un Peu Plus Envie que sa femme, je le rendais en quelque sorte plus viril en étant un peu froide. Qu'est-ce qu'il aurait fait si dans un subit accès de désir je l'avais renversé sur le tapis du vestibule ? Je crois qu'il se serait fané illico. Il n'était sans doute pas très sensuel lui non plus, c'est ce que je me dis aujourd'hui.

Jamais il ne manifestait une telle impatience puérile comme peut le faire Benny, en particulier si nous ne nous sommes pas vus pendant quelque temps. Comme s'il était resté une éternité le nez plaqué sur la vitre du marchand de bonbons à quasiment mourir d'envie, son argent de poche bien serré dans la main. Il m'a réellement parcourue du début à la fin, centimètre carré par centimètre carré, les cinq sens en action, et parfois le sixième dirait-on. Il trouve des grains de beauté dont j'ignorais l'existence, il renifle longuement dans le creux derrière mon genou ou fixe un téton comme s'il n'en avait jamais vu. Ça le dérange un peu quand je me moque de lui, et il se défend en arguant une déformation professionnelle, il est tellement habitué à examiner des pis... mais son enthousiasme et son plaisir ne laissent aucun doute, ni son souhait de me voir partager cela avec lui.

Quand il a commencé ses explorations sur moi, j'étais un peu gênée, et je lui demandais s'il s'agissait d'un contrôle technique obligatoire. Mais c'était surtout parce que j'étais surprise de me sentir si bêtement intimidée. Je ne sais pas à quel moment je me suis mise à l'explorer à mon tour, mais cela nous permettait de faire deux fois plus de trouvailles et mes mains me paraissaient vides quand il n'était pas dedans.

Parfois quand je vois ses lèvres et que je pense aux endroits où elles sont allées, je deviens écarlate. Moi ! Qui recommandais la prise d'amants en guise de vitamines pour maintenir l'organisme en forme…

30

En général on se voit chez moi, vu que je peux difficilement m'absenter, mais de temps à autre on passe une soirée dans son appartement. Je ne me sens pas à l'aise chez elle. Les murs sont blancs, les tapis sont blancs, les quelques meubles sont en tubes d'acier. On a l'impression de se trouver dans une foutue unité de soins. Elle est dans la cuisine, elle prépare une sorte de brouet de légumes qui me file des flatulences. Je ne serais pas plus surpris que ça si quelqu'un pointait la tête pour annoncer : "C'est à vous maintenant, le docteur va vous recevoir !"

Dans tous les coins, il y a des plantes vertes, grosses comme de jeunes bouleaux. Pour ce que j'en sais, elles pourraient très bien être en plastique, tout l'appartement semble conçu pour lutter contre les allergies. La seule chose qui met un peu de gaieté est le poster que je lui ai acheté. Elle est mignonne de l'avoir mis sur son mur, c'est assez cucul comme affiche.

Je devrais peut-être lui faire cadeau de quelques broderies de maman ? Dieu sait que j'en ai plus qu'il m'en faut. Je crois bien que maman a dû réaliser un canevas par semaine pendant cinquante ans, elle réussissait à les placer aux anniversaires des voisins et des amis. Où que j'aille dans le village, les œuvres issues de ses mains assidues sont là pour me narguer. Et pourtant il m'en reste encore assez pour tapisser la maison entière, j'en ai une valise pleine dans le grenier.

En plus, elle n'a pas la télé. Et pas de magnéto-scope, ça va de soi. Si bien que j'évite d'y aller quand il y a un match important – mais je ne le dis évidemment pas, ces soirs-là "il faut absolument que je mette à jour la compta". Une fois, elle est venue chez moi un de ces soirs, j'ai serré les dents et j'ai dû m'abstenir de regarder le match et engager le corps à corps avec le secrétaire de papa où les piles de papiers débordaient. Et heureusement, heureusement. C'était des Découverts par-ci et des menaces de Recouvrement par-là, des Dernier Délai de Paiement et des Malgré les Rappels. J'ai sué dessus la moitié de la nuit, et j'ai réussi à dépatouiller presque tout. Elle fait peut-être fonction d'ange gardien, sans le savoir.

Et c'était vraiment formidable de me pencher sur le solde de mon compte courant avec elle qui se tortillait sur mes genoux et profitait de moi sans la moindre honte. Avec ce genre d'avantages au boulot, je pourrais même imaginer devenir un comptable zélé et minutieux… Oui, des fois on prend les devants, on ne peut pas passer toutes nos nuits à jouer à colin-maillard jusqu'à pas d'heure. Je veux dire, j'ai une étable entière qui m'attend tous les matins à l'aube.

Je lui ai demandé pourquoi elle n'a pas la télé. Quand on est chez moi, elle mate tout avec avidité, surtout la pub. Ses préférées sont les gros bébés qui zozotent en vantant leurs couches sans fuite, et toutes les filles qui parlent de protections périodiques comme si elles venaient d'être baptisées dans le sang précieux de l'agneau, alléluia ! Elle regarde tout avec des yeux ronds comme des billes, depuis les divertissements avec de joyeux retraités qui collectionnent des nains de jardin jusqu'aux séries noires tardives où le méchant tombe toujours dans un ravin avec sa voiture à la fin. J'ai fait l'amour avec elle sur le gros tapis devant la télé sans qu'elle détache son regard de *L'Armateur*.

— Tu vois ! dit-elle. Il est évident que quelqu'un comme moi ne peut pas avoir la télé.

Il n'y a que le sport qu'elle ne supporte pas. Dès qu'elle entend le générique d'une émission de sport, elle se met à gémir d'exaspération et sort un foutu recueil de poésie de son fourre-tout à fleurs. Elle ne fait pas un pas sans ce sac et il y a toujours deux ou trois livres dedans.

Ou alors elle fait de son mieux pour détourner mon attention. Elle m'a séduit sur le gros tapis, sans que je cesse pour autant de regarder la rencontre Björklöven-Modo.

Il nous est arrivé de louer une cassette vidéo. C'est-à-dire, on ne loue pas *un* film, on ne réussit jamais à se mettre d'accord sur le choix. On en loue toujours deux. Ensuite elle va chercher son fourre-tout fleuri pendant mon film, et moi je m'endors pendant le sien.

On va aussi bien ensemble que la merde et les pantalons verts, comme disait mon grand-père. Et je ne veux pas que ça s'arrête. A chaque jour suffit sa peine, je n'aurai qu'à apprendre à faire avec.

31

D'accord
c'est toi qui as le seau et la pelle
mais moi j'ai tous les jolis moules à pâtés

Parfois je lui demande s'il veut que je prenne quelque chose à lire à la bibliothèque, puisqu'il n'a pas le temps d'y aller. "Quand on a lu un livre, on les a tous lus, et j'en ai lu un l'année dernière !" répond-il en louchant comme un crétin.

Parfois je réussis à l'entraîner au cinéma, et juste quand il est sur le point de s'engouffrer vers *Police Academy 14*, je nous fais faire un écart et le pousse dans la salle de *La Leçon de piano*. Il regarde le film un moment en boudant. Pendant les scènes d'amour dans la jungle, il laisse ses doigts se faufiler entre mes cuisses jusqu'à ce que je me tortille comme un ver. "Je suis en train de louper Sport Info en ce moment !" siffle-t-il dans mon oreille.

En sortant, il fait tellement de bruit que tout le monde se retourne : "Ce n'est pas vrai, les gens n'étaient pas aussi empotés à cette époque-là ! Ils avaient l'idée de creuser un vrai port et ils n'allaient pas semer des pianos comme ça n'importe comment sur les plages !"

Une seule fois je l'emmène au théâtre. Une pièce d'avant-garde opaque avec de courtes scènes qui illustrent le vide de la vie citadine moderne. Il hennit sans gêne dans la salle plongée dans un silence de mort.

— Je ne me suis pas autant marré depuis *Pongo et les 101 dalmatiens*, dit-il à voix haute dans le hall en me jetant un regard provocant.

— Tu fais ça pour m'emmerder ! je rugis dans le fast-food après. Personne ne prétend que tu es bouché ni que tu as du mal à comprendre. Pourquoi tu ne veux pas accepter que moi aussi j'ai ma vie, et qu'elle peut avoir ses bons côtés ? Moi je n'ai pas tout un tas d'avis stupides sur ta charrue à soc !

— Je ne m'attends pas non plus à ce que tu passes deux heures à la regarder ! dit-il, offensé. Puis silence.

Pour se venger, il me traîne à quelque chose qui s'appelle Tractor Pulling le dimanche suivant. D'énormes tracteurs déplacent de lourdes charges et vomissent leurs gaz d'échappement bleus dans l'air limpide de l'automne. Le vacarme est terrifiant. Örjan se serait fendu d'une série d'articles outrés pour lancer le débat. Moi, je me sens seulement nauséeuse. Benny tire sa casquette de forestier jusque sur le nez, m'ignore superbement et discute carburateurs avec d'autres gars casquettés.

Ensuite nous rentrons faire l'amour comme des fous.

— Il s'agit donc uniquement de ça ? je me lamente à Märta.

— Comment ça, uniquement ? dit-elle.

Les meilleurs moments, c'est après, quand nous sommes entortillés l'un dans l'autre, calmes et détendus. Nous inventons différents tests pour nous explorer mutuellement.

— Qu'est-ce que tu fais si tu te retrouves face à face avec un taureau qui s'est échappé ? dit-il.

— Je fais un bond monstrueux de cinq mètres jusqu'à la clôture, puis je m'évanouis juste avant d'avoir eu le temps de la franchir, et je suis réduite en marmelade par les cornes, dis-je.

— Pas du tout. Tu t'avances jusqu'au taureau et tu lui dis avec beaucoup d'autorité de ne pas inquiéter des femmes sur la voie publique et c'est le taureau qui s'évanouit ! dit-il.

— Qu'est-ce que tu fais si tu découvres soudain dans une réception chic que ta braguette est ouverte et que tu as certaines parties à l'air ? je demande.

— Alors je sors la totalité en disant que je suis représentant de la Fédération nationale des exhibitionnistes, et je demande aux gens s'ils veulent bien soutenir notre cause avec un petit don en espèces, répond-il vivement. Non, en réalité j'essaie de fermer discrètement la braguette, je coince la nappe dans la fermeture Eclair et je fais tomber toutes les assiettes par terre. Ensuite je recule vers la porte avec la nappe toujours prise dans la braguette, un grand sourire collé sur la figure, et je me sauve et je trébuche sur la nappe dans l'escalier et je me casse les deux jambes !

Qu'est-ce que tu fais si tu vas acheter un livre, que tu le paies et qu'ensuite tu vas dans une autre librairie et que le vendeur croit que tu l'as volé chez eux ?

— Alors je le paie encore une fois avec un sourire hystérique et j'en achète aussi trois autres et je clame haut et fort qu'il est tellement bon que je vais le donner à tous mes amis et ensuite je m'en vais, les oreilles en feu, et j'oublie les quatre livres sur le comptoir !

Nous sommes d'accord pour dire que s'il est le Blaireau National, j'ai tout pour devenir une très bonne madame Blaireau empaillée et exposée à côté de lui dans sa vitrine au musée de Skansen.

32

Pendant les mois d'hiver, c'est plus calme à la ferme. Je sais, j'aurais dû travailler dans la forêt, mais novembre avait amené une neige molle et lourde et les déplacements étaient devenus difficiles. Me suis-je persuadé. Il faisait froid aussi, un vent glacial et humide – le genre de temps qui traverse les vêtements et vous pénètre jusqu'à la moelle.

J'ai soudain eu très envie de donner une nouvelle jeunesse à la vieille maison. Pas des fioritures à la véranda, ça c'est tout en bas sur la liste des choses à faire. Mais…

L'autre jour j'ai vu dans une émission comment ils faisaient revivre des stations-service des années cinquante en les classant patrimoine culturel. L'idée m'est venue qu'ils pourraient tout aussi bien classer ma salle de séjour patrimoine culturel. Et ma cuisine. En fait, maman ne s'est jamais intéressée à son intérieur. Elle faisait le ménage, bien sûr – mais pour le reste, elle laissait tout comme c'était à l'époque de ses parents. Elle ne pouvait même pas imaginer se débarrasser d'un objet qu'elle avait acheté avec mon père. Et moi ?

La seule pièce de la maison qui a éveillé la moindre envie d'aménagement chez moi est ma chambre. J'ai eu une période vers mes dix-sept ans, juste avant de reprendre la ferme, où je me suis attaqué au papier peint marron datant de l'époque de ma grand-mère – et je l'ai peint en noir ! J'ai posé une couverture tigrée sur le lit et couvert les murs d'affiches de groupes de hardrock aux allures de caniches, plus une photo d'une nana à poil avec un schéma de découpe dessiné sur le corps à l'encre bleue. A l'époque je la trouvais absolument démente. Eh oui, mon Dieu ! Carina aussi la trouvait démente. Une fois pour la fête de la Saint-Jean alors que je devais m'occuper de la traite du matin parce que mes parents étaient partis en week-end, je l'ai fait venir dans ma chambre puis j'ai essayé de dessiner le même schéma sur elle. Avec de l'encre indélébile. On était pas mal bourrés tous les deux, on avait bu un truc qui aurait pu nous rendre aveugles. Et une fois qu'on s'était roulés dessus, la couverture tigrée avait pris une sale gueule, maman l'a jetée sans poser de question. Elle était comme ça.

Plus tard, j'ai enlevé les affiches de rock et j'ai mis des photos de tracteurs géants. Mais je n'ai jamais repeint la chambre, pas eu l'occasion. Désirée a dit un jour qu'elle avait l'impression de reposer dans une crypte en regardant les murs noirs. C'est ce qui m'a décidé à entreprendre de petits changements de décor. J'ai sans doute développé une sorte d'instinct de nidification quand elle est entrée dans ma vie. J'aurais dû me méfier. J'avançais en terrain miné, je n'allais pas tarder à m'en apercevoir.

D'abord j'ai retapissé ma chambre, un assez joli papier peint fleuri. Puis j'ai fait venir des rideaux prêts à poser de Haléns VPC, blancs avec un tas de volants, et des rubans brillants pour les retenir sur les côtés. Pour finir, j'ai mis quelques broderies avec des fleurs sur les murs, à la place des tracteurs.

J'ai fait tout ça quand j'ai eu une semaine devant moi sans qu'elle débarque. Et, quand elle est venue, je l'ai fait monter dans la chambre, j'ai ouvert la porte et j'ai essayé d'imiter une trompette.

Elle a ouvert grands les yeux.

— Ah oui… c'est joli ! s'est-elle contentée de dire.

Je me suis senti assez déçu. Puis j'ai voulu l'inciter à en dire un peu plus, à me dire que j'avais bien travaillé, que…

Qu'elle allait sûrement se sentir vraiment bien dans cette chambre.

Mais j'ai seulement réussi à lui faire dire que c'était plus clair comme ça, et que ça paraissait plus grand.

— Mais tu ne trouves pas que c'est joli ? ai-je essayé.

Je n'aurais pas dû demander ça. Désirée n'aime pas trop les mensonges, je m'en suis rendu compte, même les petits mensonges diplomatiques. Elle a simplement répondu que bien sûr, il fallait évidemment que j'aménage la chambre à mon propre goût, pas au sien.

— Tu veux dire que tu aurais aimé choisir le papier peint avec moi ? ai-je demandé avant d'avoir pu me retenir.

Et ainsi j'avais posé la question cruciale, ça ne m'a sauté aux yeux que plus tard. Une question qui est arrivée beaucoup trop tôt. Parce qu'elle a simplement répondu "Non, pourquoi ?", puis elle est descendue allumer la télé, parce qu'elle ne voulait pas rater *Rapport*.

Ensuite il y a eu une sale ambiance toute la soirée. On a commencé à se disputer pendant les informations. Elle, c'est une sorte de gauchiste. Si ce n'est pas la gauche caviar, c'est la gauche pâté végétal, et moi je défends les intérêts des entrepreneurs, parce que je me considère comme une petite entreprise. Elle a vite fait de me lancer sur des rails où je défends le gros capitalisme international, et comme elle s'y connaît beaucoup mieux que moi en argumentation, elle me fait dire des choses avec lesquelles je ne suis pas d'accord moi-même. Je prends la mouche et je ne m'arrête plus, ça sort en vrac, je défends le déboisement et je traîne dans la boue ces blancs-becs de biologistes de terrain, elle se lance dans une plaidoirie contre la destruction de l'environnement et l'épuisement des ressources naturelles et je l'accuse pratiquement de brûler les camions de Scan – Les Produits des éleveurs suédois.

Et tout le long je sens que cette embrouille est en réalité une embrouille de papier peint. Elle les cherche, les embrouilles, parce qu'elle ne veut pas prendre position, décider si oui ou non elle doit avoir son mot à dire dans cette maison.

Pour la première fois on s'endort sans faire l'amour. Mais on se tient la main.

33

J'aime le simple, le minimal
les formes strictes, les couleurs discrètes
Un pré fleuri en été
me paraît toujours affligeant

J'ai tout d'abord dû combattre une folle envie de pouffer de rire en découvrant les rideaux genre robe de bal sortie tout droit d'*Autant en emporte le vent*, et en voyant que les broderies au point de croix avaient envahi le dernier bastion de la maison, sa propre vieille crypte. Mais il était tellement débordant de fierté que ça m'a refroidie, et je n'ai pas su quoi dire. Je n'avais pas la moindre intention d'avancer une opinion sur la décoration de sa maison – ce serait annoncer que je voudrais avoir mon mot à dire. Et c'est une question que je n'aborde même pas du bout des lèvres. Pas encore.

Et toutes ces chamailleries ensuite devant la télé ! Sur le moment, ça me plaisait de le voir tomber dans tous les pièges que je lui tendais, mais ensuite j'ai eu envie de pleurer, parce qu'en réalité je n'ai pas du tout envie qu'il sème des clichés réactionnaires autour de lui, qui me font perdre le respect que j'ai pour lui. Surtout que je sais pertinemment qu'il n'est ni stupide ni réac. Et il a des connaissances dans des domaines où je n'ai jamais mis le bout d'un orteil. Mais on occupe des étoiles différentes, il n'y a qu'à se le dire.

D'autres fois, ça peut prendre des expressions plus légères.

Par exemple, nous n'aimions pas les vêtements de l'autre, c'était réciproque.

Un jour il est arrivé chez moi avec un sac de La Boutique Diana, un magasin où des dames dans les cinquante-sept ans type première-assistante-de-bureau achètent des tailleurs trois-pièces bleu marine avec de petits foulards pimpants. Et des robes de gala où les broderies à paillettes s'étalent comme de l'eczéma sur le corsage. Des fois avec Märta, on va regarder la vitrine pour se payer une bonne rigolade.

— C'était les soldes ! fit-il, tout content de lui. Ouvre-le !

Pas un tailleur, pas une robe de gala. Mais une jupe large monstrueuse, "qui fait jeune", avec des roses géantes lilas et des feuilles vert fluo. A la rigueur, j'aurais pu l'accrocher sur le mur, comme une œuvre d'art. Mais me montrer dans cette jupe-là ? Plutôt mourir !

— Mais… ce n'est pas *moi* ! essayai-je, un peu mollement pour ne pas le blesser.

Peine perdue. Il pige beaucoup trop vite. Si bien que j'ajoutai, pour ne pas qu'il me trouve hypocrite :

— Elle est… eh bien, assez épouvantable, tu vois.

Je pense qu'il aurait préféré que je sois hypocrite.

— Pourquoi il faut que tu t'habilles toujours
comme ça, on dirait un cadavre noyé tout juste rejeté
sur la plage ! cracha-t-il en fourrant la jupe en vrac
dans le sac. Prends-la quand même, cette merde, tu
pourras toujours en faire des chiffons pour nettoyer
les vitres !

Cadavre noyé ! Il ne manquait pas d'air !

— Prends-la toi-même ! Tes vitres ont grandement
besoin d'un nettoyage ! Ou mets-la pour travailler,
elle ne sera pas pire avec un peu d'odeur d'étable !

Nous nous regardâmes.

Ensuite il s'assit lourdement à côté de moi dans
le canapé, ses mains glissées sous ses cuisses.

— Je ne frappe pas les plus petits que moi ! dit-il
entre ses dents serrées. Je ne les frappe pas, non, ça,
je ne le fais pas !

— Mais je les *bouscule* ! ajouta-t-il en me ren-
versant dans le canapé, puis il arracha mon tee-shirt
en coton naturel, cultivé sans pesticides.

— A la réflexion, je pense que tu es mieux sans
vêtements. En tout cas sans tes propres vêtements.
Je n'ai jamais rien vu de pire que ton bonnet en feutre
avec les champignons !

J'avais quand même eu le temps de voir qu'il avait
payé presque trois cents couronnes pour la jupe, et
je savais qu'il n'avait pas assez d'argent pour le jeter
ainsi par la fenêtre. Alors je décidai qu'on irait faire
les magasins et qu'en geste d'apaisement je lui achè-
terais un habit pour trois cents couronnes. Ce serait

à moi de faire le choix, et s'il n'aimait pas il aurait le plaisir de me le dire en face. Ensuite, on serait quittes.

On arpenta les grands magasins pendant des heures, jusqu'à ce que comme d'habitude ce soit le moment pour lui de se précipiter à l'étable. J'effleurai du bout des doigts des chemises Mulberry en flanelle à petits carreaux, coquille d'œuf et tabac. Parfait pour le gentleman-farmer décontracté. "Des comme ça, j'en achète par correspondance, 99,50 les trois, je les mets à l'étable !" marmonna-t-il. Une chemise française géniale, à porter déboutonnée jusqu'à mi-poitrine, le fit bien rigoler. "Avec ça, les propositions vont pleuvoir ! se gaussa-t-il. De la part des mecs !"

Il tira comme un chien en laisse vers des présentoirs avec des chemises criardes fantaisie et des cravates assorties, et vers des vestes aux coupes qui avaient peut-être été le must à Hollywood dix ans plus tôt. Son goût allait vers le style maquereau pour ce qui était la "garde-robe de ville". Les vêtements de travail ne s'achetaient pas dans un magasin, on les choisissait sur catalogue et on les facturait au compte de la ferme.

Pour finir, il me laissa acheter un tee-shirt comme le mien et il promit joyeusement de le porter la prochaine fois qu'il nettoierait l'épandeur à fumier.

34

— Tu m'autorises à fouiller dans tes tiroirs ? a-t-elle demandé.

Je me suis dit que je n'avais rien à cacher, à part peut-être un vieux magazine porno, et je l'assumerais sans problème.

Mais elle a trouvé quelque chose de bien pire.

Mon dernier bulletin de notes du collège.

Elle a encaissé tous mes quatre et mes cinq sur cinq pendant que son menton tombait de plus en plus vers ses petites prunes de seins. Puis elle a commencé à bégayer d'excitation en disant que si on lui permettait d'exprimer son opinion, alors c'était honteux de la part de mes parents de ne pas m'avoir fait faire d'études. Avec des notes comme ça ! Elle a commencé à délirer sur des bourses d'études pour adultes et *Komvux* et les instituts de formation.

C'est la première fois que je me suis mis dans une colère noire et aveugle contre elle. J'avais envie de lui en coller une en plein sur sa figure coquille d'œuf pâle et faire gicler le sang du nez. Mais dans ma famille, c'est simple, on ne frappe pas les femmes. Pas parce qu'on est particulièrement chevaleresque, j'imagine, plutôt parce qu'on ne veut pas gâcher une main d'œuvre précieuse.

Mais elle, là, j'avais envie de la frapper, et on ne pouvait pas vraiment parler de main d'œuvre dans son cas.

Au lieu de ça, j'ai enfilé mon blouson et je suis sorti sans un mot, la plantant là avec son flot de paroles. Je suis allé à l'étable vérifier l'état d'une vache qui sortait de la fièvre vitulaire et qui commençait juste à essayer de se lever dans son box. J'étais tellement hors de moi que mes mains tremblaient quand je flattais son encolure en sueur pendant qu'elle luttait pour se mettre debout sur ses quatre pattes. Finalement, elle a réussi et s'est mise à mâcher sa ration de grain supplémentaire. "Tiens bon ! ai-je chuchoté. Tiens bon ! Tiens bon !"

Puis je suis rentré.

Mademoiselle Désirée manifestait son irritation.

— Tu ne peux pas enlever ces fringues qui puent dans la cave ? a-t-elle dit. Bon, je disais donc, les instituts de formation pour adultes…

J'ai serré mes poings et les ai plaqués sur mes oreilles.

— Est-ce que tu réalises ce que tu dis ? Tu me dis de vendre la ferme ! ai-je crié. Ce n'est pas toi qui vas t'en occuper, j'imagine, pendant que je fais le patachon avec ma bourse d'études pour adultes ? Ou est-ce que tu t'es dit que je pourrais emmener les vaches et les loger dans ma chambre d'étudiant à l'institut ?

Elle est devenue encore plus pâle, plutôt blanche que beige.

— Je ne comprends pas pourquoi tu te fâches, a-t-elle murmuré. Il doit bien y avoir des possibilités de faire des études, si tu en as l'envie. Je voulais simplement dire que tu sembles doué pour apprendre. Mais tu n'en as peut-être pas du tout envie. Oublie ce que j'ai dit !

— Envie ! ai-je crié. Envie, envie, envie ! Et ensuite ? Quand j'aurai fait des études pendant cinq, six ans et que je me serai endetté d'un demi-million à ajouter aux dettes que j'ai déjà, qu'est-ce que je ferai alors ? Je deviendrai bibliothécaire, c'est ça ? Je me baladerai entre les rayons en me gargarisant de mes super-notes ? Et qu'est-ce que tu sais de ce que mes parents m'ont fait faire, bordel de merde !

Sans un mot, elle s'est entêtée à fixer mon bulletin de notes. Je le lui ai arraché des mains, l'ai déchiré en mille morceaux que j'ai laissé tomber en pluie sur sa tête. Je me suis comporté comme un vrai dingue.

— Tu n'en as rien à foutre de moi et de ce que je veux ! ai-je crié. Il n'y a que toi et ce que tu veux, toi. Tu veux quelqu'un qui sait discuter de Lacong avec toi pour ne pas avoir honte devant tes amis les bibliothécaires. Et tu ne comprends que dalle à une ferme et à ce que ça représente. Ce que je veux, moi, c'est avoir quelqu'un qui m'aide à donner du calcium à temps aux vaches qui ont vêlé pour qu'elles n'aient pas la fièvre vitulaire !

J'ai crié, de plus en plus fort.

Elle s'est levée.

— Tu essaies de couvrir la voix de qui ? a-t-elle simplement dit, et elle est partie. J'ai entendu la

voiture démarrer dans la cour, puis un silence toni-
truant. Seule la question est restée suspendue dans
l'air.

35

Je ne laisse pas de sillons dans l'eau
sur la photo de classe je suis comment-elle-s'appelait-déjà
et c'est l'Etat qui héritera de mes bijoux en or

Jamais on ne m'a fait une chose pareille.

Je fus contente tout d'abord. Son bulletin de notes que j'ai trouvé tout au fond d'un tiroir entre un diplôme de natation et un éclaté de moteur de Mobylette prouvait ce que j'ai tout le temps senti. Cinq sur cinq presque dans toutes les matières – suédois, math, anglais. Seulement deux quatre – en religion et travaux manuels. C'était tout bonnement une forte tête. Il n'avait jamais eu le temps d'être un bûcheur, je savais qu'il avait aidé à la ferme depuis qu'il savait marcher. C'est sans doute pour ça qu'il a mis en avant ce côté plouc quand j'ai essayé de le gaver avec de la culture de pointe. Ça l'a provoqué. Il savait qu'il y avait là quelque chose qui aurait pu le nourrir et s'il cédait, il serait obligé d'avouer qu'il avait loupé quelque chose. Qu'il avait "mal" choisi.

Sa réaction furieuse me prit totalement au dé-pourvu. Il ne semblait pas y avoir grand-chose à ajouter. J'avais seulement voulu lui apprendre à se connaître un peu mieux en pensant que nous trou-verions peut-être quelques étoiles pour construire ce fameux pont. Des étoiles dorées.

L'auto-apitoiement me fit monter les larmes aux yeux quand je quittai la ferme sur les chapeaux de roues. Oh, comme j'étais mal comprise !

Ce n'était évidemment pas du tout vrai ! C'est moi qui m'étais mis le doigt dans l'œil, cela m'est apparu vers six heures du matin après quatorze tasses de thé. La petite fille qui avait toujours eu des bons points à coller dans son cahier. Et les félicitations de maman. Désirée si douée qui allait allumer la lumière de la culture dans l'obscurité campagnarde de son homme. Il avait entièrement raison, je n'avais pas la moindre idée de ce que ses parents avaient exigé de lui. Tout ce que je savais, c'est qu'ils étaient morts et qu'il avait fait pousser une pépinière entière sur leur tombe.

Tout à coup ma propre maman me manqua terri-blement, c'était tellement fort que même papa me manquait un peu. La grande table en chêne me man-quait, où j'avais lu à haute voix mes leçons d'anglais à maman, avec une prononciation très exagérée. Elle ne parlait pas anglais, mais elle veillait à ce que je parte en séjour linguistique chaque été. Et elle a pleuré la première fois que je suis venue à bout d'une sonatine de Mozart au piano. Elle n'arrivait pas à déterminer si j'allais devenir pianiste de concert ou plutôt lauréate de prix Nobel.

Je suis devenue bibliothécaire, avec un bas salaire et un emprunt d'étudiant de plusieurs centaines de milliers de couronnes à rembourser. Mais avec une très grande culture générale. Je ne joue plus de piano mais je sais désormais jouer *Coupons, coupons l'avoine* à l'harmonica. J'étais vraiment la bonne personne pour prêcher l'évangile à Benny le Grand à Rönngården.

Le lendemain, je n'osai pas répondre au téléphone. J'avais peur que ce soit Benny. Et j'avais encore plus peur que ce ne soit pas lui. Alors j'ai tout simplement posé trois jours de congé et j'ai annoncé à papa que j'allais venir le voir.

Certains disent qu'ils savent exactement à quel moment ils sont devenus adultes. Märta dit qu'elle l'est devenue le jour où elle a trouvé sa maman dans le lit du voisin rouquin. Märta est la seule rousse de sa famille.

Moi, je le suis devenue au cours de ces jours-là chez mon père.

Je n'ai pas découvert de secrets de famille, ce n'est pas ça. S'il y en a, ils ont été enterrés sous des tonnes de glace. Il ne s'est rien passé d'inattendu en fait. Papa s'est abstenu de mauvaise grâce d'aller à une réunion du Rotary et il n'a fait que se lamenter des garces incompétentes du service d'aide à domicile. Entre chaque épisode de plaintes, il se taisait. Il n'a pas posé une seule question sur ma vie, pour savoir comment j'allais, et en parlant de maman il a seulement dit : "Eh bien, j'imagine qu'elle va tant bien que mal ! Je n'en peux plus d'y aller tout le temps, et elle ne peut pas compter sur toi, ça c'est sûr !" Si, ai-je pensé, pendant ces trois jours elle va pouvoir compter sur moi. Je vais aller la voir et vérifier si ses mains sont toujours comme dans mon souvenir.

J'y suis allée chaque jour. A une occasion, elle m'a souri et a dit : "Tu n'es pas en cours à cette heure-ci, ma chérie ?" Sinon, je n'ai pas compris grand-chose de ce qu'elle disait, même si elle a pas mal parlé. Sa tête était comme un standard téléphonique détraqué, elle répondait tout le temps aux mauvais appels.

Au retour, dans le train, je me suis dit que si je devais remplir un formulaire et indiquer qui était mon parent le plus proche, je pourrais tout aussi bien sauter la ligne. Et si je me levais de ma couchette pendant la nuit pour aller aux toilettes et me trompais de porte et tombais du train dans le noir, le monde ne s'en porterait pas plus mal.

J'ai bossé comme un fou pendant des jours pour ne pas être dans la maison si jamais le téléphone sonnait. Je suis même allé déblayer sur une coupe, bien que j'évite en général d'aller seul dans la forêt, je connais trop de gars qui sont restés coincés sous un arbre tombé du mauvais côté ou qui ont dû ramper à travers la forêt, la jambe à moitié sectionnée par la tronçonneuse. Et j'ai pensé que si ça m'arrivait à moi, qui ferait passer l'annonce de décès ? J'ai imaginé le plus long faire-part du monde signé par vingt-quatre vaches, avec leurs noms et leurs matricules.

Mais je ne suis pas un pauvre enfant seul dans un monde cruel, je le sais pertinemment. C'est bientôt Noël et je crois qu'il y a au moins dix familles qui m'ont proposé de le passer avec eux. D'abord ma propre famille – mais ils habitent loin et en fait ils savent que je ne peux pas prendre les vaches avec moi pour faire un saut chez eux. Ensuite quelques familles du village. Un vieux couple qui était les meilleurs amis de maman et qui n'ont pas d'enfants – ils piailleraient autour de moi comme des moineaux enthousiastes si je passais le réveillon avec eux. Et

Bengt-Göran et Violette bien sûr, pour eux c'est évident que je viendrai, et c'est sans doute ce que je ferai. Le buffet de Noël de Violette sera royal, j'en suis sûr.

J'ai fait de mon mieux pour contourner l'idée d'admirer le sapin de Noël, les yeux brillants, avec la Crevette. Et de manger du fromage de tête industriel directement dans l'emballage. Ou une foutue soupe de lentilles bio !

Maman et moi, on invitait toujours la famille chez nous. On l'a même fait l'année dernière, ils l'ont laissée sortir de l'hôpital et tante Astrid et ma cousine Anita sont arrivées le coffre rempli de bouffe. On était onze, et on savait tous que c'était le dernier Noël de maman et pourtant on s'est amusés comme des fous, même si ça peut paraître étrange. Anita est infirmière à l'hôpital départemental, avant elle a travaillé plusieurs années en Suisse. Elle a raconté des histoires de son séjour là-bas et ensuite les plaisanteries ont fusé dans tous les sens, des anecdotes, des souvenirs d'enfance et des vieilles blagues. Oncle Greger nous a fait rire comme d'habitude avec son imitation d'Evert Taube, notre bon vieux troubadour national, il est vraiment inusable, celui-là. Et quand la nuit était bien avancée, maman a dit sur un ton finaud : "Allez, il est temps maintenant de laisser les jeunes se débrouiller seuls un peu, ils n'ont plus besoin de nous !" Elle voulait dire Anita et moi. Et on est docilement restés à boire du cognac mélangé à la bière de Noël jusqu'à quatre heures et demie du matin, et Anita a raconté qu'elle était tombée enceinte d'un médecin suisse marié et s'était fait avorter.

Pas de décorations de Noël pour moi cette année. Je me suis découragé rien qu'à voir ma cuisine.

Maman aurait été désespérée. La maison commençait à tomber en ruine, elle avait déjà un relent de ferme abandonnée, ou de foyer pour célibataires. J'avais repeint la rambarde de la véranda et changé les gouttières, bien sûr – mais je ne savais pas trop par quel bout le prendre pour que ça soit sympa à l'intérieur. J'évitais de penser au rafraîchissement de ma chambre. Je maintenais une propreté de première nécessité autour de moi, mais je ne pouvais quand même pas me mettre à amidonner de petits napperons ou poser ces putains de rubans avec les pères Noël sur les bords des étagères comme elle faisait chaque année.

Les deux vieux m'ont offert un panier en plastique avec deux hyacinthes roses et un carton géant de chocolats Aladdin pour me remercier d'avoir fauché le pré qu'ils ont à l'autre bout de leurs terres. J'ai acheté un paquet de bougies rouges en promotion. Après en avoir allumé quelques-unes dans les bougeoirs que j'ai fini par dégoter, la désolation de la cuisine s'est un peu estompée. J'y avais installé la télé aussi, et dès que j'entrais, je l'allumais, et la laissais faire son tapage de Noël toute seule dans son coin.

Deux jours avant le réveillon, la Crevette m'a appelé, à dix heures du soir.

— C'est moi. Je peux venir passer Noël chez toi ? a-t-elle dit.

— Evidemment que tu vas passer Noël chez moi ! ai-je répondu.

Et le lendemain, je suis allé la chercher en ville.

37

Toi et moi, mon ami, comme deux ours échevelés,
nous gagnons la tanière avec nos rêves d'été
Nous oublions le vacarme et les demeures ténébreuses
et rêvons de forêts calmes, de longues nuits lumineuses

L'obscurité s'épaissit, le vent devient mordant
Viens te blottir près de moi et te chauffer un moment !
J'entends hurler au loin un renard errant
Laisse-moi enfouir le nez dans ton pelage rassurant !

Märta et la Passion m'avaient invitée pour le réveillon. La Passion s'appelle donc Robert – Märta l'appelle Robertino, Bobby ou ce salaud de Bobban selon ses sentiments du moment ou les derniers affronts qu'il lui a fait subir. Robert a quarante-cinq ans, des cheveux châtains coiffés pour camoufler son crâne dégarni et quand il branche le charme, il pourrait faire tomber la culotte d'un mannequin dans une vitrine – je suis totalement sincère. Il était toujours prêt à étendre ce charme à moi aussi.

Quelques collègues de la bibli qui vivent seuls, ou seuls avec enfants, avaient décidé de fêter Noël ensemble dans un local à la campagne, chacun devait apporter quelque chose pour le buffet. J'avais été parmi ceux qui soutenaient le plus ce projet. Robertino avec du vin chaud plein la panse, c'était trop pour moi.

J'ai fait les magasins pour acheter des petits cadeaux pour mes collègues et leurs enfants.

Mais en rentrant le soir à la maison je me suis retrouvée avec un sac plein de cadeaux pour Benny. Il m'a fallu la soirée pour comprendre que tout ce que j'avais acheté était pour lui. J'ai essayé de me persuader que j'avais acheté pour les enfants, ou pour une joyeuse bande. Mais la seule chose que j'avais eue en tête, apparemment, était ce que Benny en aurait pensé. Et alors j'ai jeté l'éponge, je l'ai appelé et j'ai demandé si je pouvais fêter Noël avec lui. Il a simplement dit oui sans réfléchir, je crois que nous avons été surpris tous les deux. J'ai raccroché, puis j'ai pleuré un peu et j'ai pensé à une portière de train mal refermée qui bat dans le noir.

Le lendemain il est venu me chercher et nous avons fait un tour de shopping parmi la foule à Domus. Märta m'avait prêté un vieil exemplaire tout graisseux du *Livre de cuisine des princesses*, et j'ai acheté les ingrédients pour Caramels mous première méthode, Merveilles, Travers de porc farci (fausse oie) et Hareng à la russe. J'avais quelques autres projets en tête mais j'ai abandonné face à la pénurie dans les rayons de cendre de potasse, de moût de bière ou de lait entier cru. Benny était très enthousiaste pour Fromage de tête sous presse, mais la recette exigeait une tête de porc entière ce qui l'a fait abandonner et jeter son dévolu plutôt sur Hachis de mou. Il a prétendu qu'il pouvait sans problème trouver de la fressure de veau (poumons et cœur). Alors que je cherchais en vain ma cendre de potasse au rayon Epices parmi toutes les variantes exotiques de chutney, Benny se sauva et revint avec un sac qu'il ne voulait pas ouvrir. Ensuite nous sommes rentrés à Rönngården.

Nous avons allumé le néon de la cuisine, noué des torchons sur la tête et autour de la taille, posé le *Livre de cuisine des princesses* ouvert contre la télé et mis la main à la pâte.

Caramels mous première méthode s'est bien passé. Nous avions évidemment oublié d'acheter les petits moules indispensables, mais Benny se passionna tout de suite pour la fabrication de moules plissés en papier sulfurisé d'après la description dans le livre. Nous versâmes la préparation dans ses petits chefs-d'œuvre froissés, très satisfaits de nous-mêmes. Les Merveilles allaient moins bien. "Si vous travaillez trop la pâte, les merveilles gonfleront trop vite !" cita Benny avec sévérité, et il régla un minuteur sur deux minutes.

Jusque-là tout allait bien, mais quand vint l'étape de les tordre sur elles-mêmes par une incision dans la longueur puis de faire un nœud, on allait tout droit au casse-pipe.

— File-moi une princesse et je vais te la tordre sur elle-même par une incision dans la longueur et y faire un nœud ! grommela Benny.

Entre-temps, je luttai avec Travers de porc farci (fausse oie) et râlai sur la ficelle de cuisine et les aiguilles à trousser. Pour tout dire, nous sommes devenus de plus en plus flous et enclins aux raccourcis dans la préparation, parce que nous n'avons pas cessé de picoler du vin chaud. Nous avons aussi eu une discussion animée pour savoir qui était faux, le pauvre travers de porc qui essayait de se faire passer pour une oie ou la pauvre oie qui n'avait jamais demandé qu'on la mêle à tout ça. J'ai pris le parti du travers de porc et Benny celui de l'oie.

Le Hareng à la russe fut très beau, un peu comme une œuvre de jeunesse de Niki de Saint Phalle, celle qui faisait cuire du plâtre farci de couleurs et tirait dessus à la carabine pour créer de l'art.

A onze heures et demie du soir, la cuisine se trouvait dans le même état que l'étable – mais ça sentait meilleur, dit Benny, et il s'endormit sur la banquette. Je nettoyai de mon mieux tout en sentant avec une satisfaction certaine des générations de ménagères épuisées se ranger derrière moi.

Ensuite je le traînai au lit. Il était complètement soûl ! Je sais, moi aussi j'étais soûle, ça ternit peut-être légèrement l'image de la ménagère épuisée. Il se réveilla et geignit un peu quand il m'échappa des mains dans l'escalier, mais ensuite il se rendormit tranquillement. Je m'écroulai à côté de lui et fixai avec le sérieux de l'ivrogne ses papiers peints fleuris, je sentis même une tendresse sentimentale pour les rideaux de robe de gala.

Bien sûr que c'est possible de vivre comme ça, être les meilleurs amis du monde chacun sur son étoile, puis s'amuser ensemble lorsqu'on sent le souffle de la solitude sur la nuque ? Bien sûr que c'est possible ?

38

Au matin du réveillon de Noël, je me suis échappé dans l'étable sans la réveiller. J'ai chanté la troisième voix de *Hosanna* pour les vaches, c'est le seul chant de Noël que je connaisse, c'est déjà pas mal.

Ensuite j'avais l'intention de lui apporter du riz au lait au lit, mais tiens, tiens ! elle s'était réveillée et avait évidemment reluqué dans mon sac de provisions secrètes, que j'étais allé acheter quand elle était en plein délire de cendre de potasse et de beurre rincé. Il contenait tout le repas de Noël traditionnel : du riz au lait sous plastique, une boîte de biscuits au gingembre et un paquet de morue de Noël toute prête surgelée (elle avait aussi cherché de la morue séchée et de la lessive de soude pour la faire tremper elle-même…). Elle avait déjà réchauffé le riz au lait dans le micro-ondes et mis la table avec les hyacinthes chétives et les bougies rouges.

— J'ai bien compris que tu n'as pas confiance en mes dons culinaires ! a-t-elle dit. Mais je vais prendre tes merveilles en photo et je les utiliserai contre toi si j'entends un seul mot. Et tu peux t'estimer heureux de ne pas avoir des pois chiches en estouffade pour le repas de Noël.

On s'est habillés chaudement et on est sortis trouver un sapin à couper. Naturellement, on n'a pas su se mettre d'accord. Je préférais un des petits arbres tordus qui ne fourniraient jamais du bois correct et elle voulait un sapin Disney. Finalement on en a trouvé un tellement laid qu'elle l'a pris en pitié, il a pu venir avec nous à la maison et comme ça on était contents tous les deux.

Impossible ensuite de mettre la main sur les boules du sapin. Maman m'a révélé beaucoup de choses importantes mais jamais l'endroit où elle gardait les décorations de Noël. Si bien qu'on les a confection-nées nous-mêmes : des guirlandes en papier d'alu, des boules avec mes vieilles balles de ping-pong. On a déchiré des prospectus et découpé des photos dans *Le Paysan*, qu'on a collés dessus. Puis on a attaché des bouts de bougies avec des élastiques sur les branches et planté au sommet un fanion rouge avec *Toronto Maple Leaf* écrit dessus.

— Tu vois ! Les études, ça vous sert dans toutes les situations, a-t-elle dit en guettant ma réaction, on n'avait pas encore abordé la Grande Crise de Rage. Mieux que le patronage de l'église ! a-t-elle souri en montrant ses guirlandes.

— Sur quoi est-ce que tu les aurais accrochées, si tu n'avais pas ta propre forêt ? ai-je sifflé en réponse, et ça lui a cloué le bec.

Puis on a déjeuné. Le hareng à la russe avait un aspect compost de jardin frais, mais il était fantas-tique, tout comme la fausse oie. On a mis les mer-veilles sur une assiette dehors pour le petit lutin de la maison, mais à y réfléchir on les a rentrées et jetées à la poubelle sans états d'âme. Si le lutin les avait goûtées, il aurait mis le feu à l'étable. Ensuite on a jeté la morue aussi, aucun de nous n'a jamais vraiment aimé ça.

On a découvert qu'elle savait chanter la deuxième voix de *Hosanna* et on a discuté pour savoir où on pourrait trouver une première voix. "Une solution serait de faire équipe pour en fabriquer une", ai-je dit, puis je me suis précipité à l'étable avant d'avoir le temps de voir sa mine. J'étais allé trop loin, je le savais. Un jour à la fois, c'était notre accord tacite – il allait falloir que je fasse gaffe.

Après la traite du soir, on a mis nos paquets sous le sapin et fait des manières pour savoir qui ouvrirait son paquet en premier. On a commencé avec les cadeaux gags inoffensifs : je lui ai donné un étron en plastique pour égayer son appartement aseptisé, elle m'a donné un chapeau de gangster et une épingle à cravate avec le signe du dollar à porter parmi mes amis de la haute finance. Puis elle a eu une paire de moufles feutrées énormes et j'ai eu un jeu qui s'appelait La Forteresse hantée. Naturellement aucun de nous n'avait misé sur un cadeau qui pourrait insinuer une vie en commun, ça faisait partie du compromis implicite – mais j'ai osé le coup de lui donner un cadeau spécial. J'avais sorti tante Astrid d'un cadre en argent et glissé une photo scolaire de moi en troisième à la place.

— Ce n'est pas vraiment moi, mais je sais que c'est lui que tu aimes bien, ai-je dit. Elle a rougi un peu.

— Alors j'ai quelque chose pour toi qui en fait n'est pas toi non plus, mais que tu pourras peut-être aimer, a-t-elle dit. C'était un gros recueil de poésie de Gunnar Ekelöf.

— La nature entière t'entoure, forte d'amour et de mort… a-t-elle lu en me regardant en douce. J'ai serré les lèvres sur une connerie comme quoi il avait juste la bonne épaisseur pour caler la table bancale. Elle sait très bien que je rue quand elle essaie de me mener sur les pâturages culturels, mais j'ai senti que cette fois-ci elle essayait de me donner quelque chose qui était elle. Je me suis dit que j'y jetterais un coup d'œil au lit les soirs où j'étais seul. Au moins, il ne ferait pas de mal. A condition de ne pas s'endormir et de le prendre sur la gueule… Benny, ça suffit !

Je l'ai embrassée et puis nous avons joué à La Forteresse hantée. Il fallait bien qu'on s'amuse, nous, deux pauvres enfants errants seuls au monde. Alors que c'était Noël, et tout et tout !

Le but du jeu était de traverser un tas de pièces avec différents pièges, de rafler un trésor et d'avoir le temps de sortir avant les douze coups de minuit. J'ai été victime d'épées qui tombaient du plafond, de monstres, de trous sans fond et d'araignées venimeuses, mais j'ai aussi trouvé des passages secrets et des boissons magiques. Elle tirait tout le temps la carte *Pièce vide* et avançait proprement case par case. J'ai été le seul à m'en tirer avec la vie sauve, mais sans emporter de trésor.

Alors elle s'est mise à sangloter.

— Mais… tu n'es quand même pas mauvaise perdante ? Bon, j'y retourne alors et je me laisse tomber avec toi dans le trou sans fond ! ai-je tenté.

— Ce n'est pas ça, a-t-elle dit, toute triste. Ce jeu, c'est toute l'histoire de ma vie. Des pièces vides, encore et toujours.

39

Au réveil, maigres et gelés, nous pointerons nos têtes
et les senteurs du printemps nous feront une vraie fête,
mon ami, ce sera la fin de l'hivernage
et nous irons chercher du miel d'abeille sauvage

Nos forces retrouvées, nous courrons la forêt
pêcherons les poissons du lac en attendant l'été
Bien serrés pendant l'hiver pour garder la chaleur
en sachant que le printemps chassera la douleur

D'une façon ou d'une autre, nous étions d'accord pour ne pas laisser entrer le monde extérieur pendant ces fêtes de Noël. Nous n'avons pas quitté la ferme, nous n'avons pas répondu au téléphone. Une fois nous avons même éteint la lumière dans la cuisine en voyant des phares de voiture s'approcher sur la route, et ensuite nous sommes restés enlacés sans rien dire dans le noir alors qu'on frappait plusieurs fois à la porte.

Nous sentions sans doute que si nous ouvrions ne serait-ce qu'une toute petite fente sur le monde extérieur, des saletés maléfiques entreraient avec le courant d'air et des squelettes tomberaient des placards. Et c'est sans doute ce qui a fini par arriver.

La première saleté maléfique à arriver fut Bengt-Göran, l'ami de Benny, et sa copine Violette. Ils étaient futés au point de venir juste quand Benny était occupé à l'étable sans pouvoir se cacher. Il les a fait entrer et me les a confiés pendant qu'il allait prendre une douche. Et ça a foiré dès le début.

Violette apportait un panier plein de restes de leur buffet de Noël, qui avait apparemment battu à plate couture celui de l'Hôtel Central. "Oui, Benny a laissé entendre que la cuisine, ce n'est pas ton fort !" pouffat-elle avec un regard éloquent sur les vestiges de riz au lait dans la barquette que nous venions de racler.

Je fus évidemment furieuse contre Benny et me sentis trahie et calomniée. Et le pire était que nous n'avions effectivement rien à leur offrir à part deux caramels mous solitaires sur une assiette – je ne pouvais tout de même pas me vanter de la fausse oie dont il ne restait rien. Violette sortit ses victuailles et fouilla dans les placards à vaisselle comme si elle était chez elle. Elle ne cessa de raconter combien elle avait bien réussi cette année toutes sortes de préparations de hareng. "Tu auras peut-être une double page dans *Le Pays* pour Noël l'année prochaine !" dis-je et elle entendit forcément le ton virulent.

Bengt-Göran avait l'air d'être pété, il ne disait pas un mot et me regardait avec un sourire gluant, tout en se passant la langue sur la lèvre inférieure. Et plus il passait la langue, plus Violette me lançait des regards noirs. Si bien que lorsque Benny monta de la cave, tout rose après la douche et avec un sourire candide, un épais relent de haine planait déjà dans la cuisine. Il sursauta sur le pas de la porte et eut probablement envie d'alléger l'ambiance.

— Oh Violette, c'est super sympa de nous apporter tout ça ! Je l'ai dit à Désirée, que tu fais des boulettes de viande à se rouler par terre, pas vrai, Désirée ?

Si au moins il n'avait pas mentionné justement ses boulettes de viande ! Dans mon état exalté, j'imaginai qu'il faisait allusion aux miennes, les toutes prêtes que j'avais un jour apportées comme une offrande.

— A chacun les boulettes qu'il mérite ! dis-je tristement et obscurément, et tous les trois me fixèrent, perplexes.

Bengt-Göran rigola, il croyait apparemment que moi aussi j'étais pompette. Il sortit une flasque qu'il agita dans ma direction en un geste d'invite. Violette me tourna ostensiblement son dos solide et sortit un plat à gratin qu'elle avait déjà mis à chauffer dans le micro-ondes. Benny ne comprenait rien à ce qui se passait et il se dandina tout malheureux. Le traître.

Nous sommes passés à table. Benny mangeait comme s'il n'avait rien eu à se mettre sous la dent depuis Noël de l'année dernière et il dit pour plaisanter que j'avais menacé de lui préparer des pois chiches en estouffade. Violette secoua la tête d'un air compatissant et Bengt-Göran insistait tout le temps pour me resservir de l'aquavit. Je posai ma main sur le verre, mais il versa quand même puis proposa de me la lécher. Je tirai à moi ma main sans un mot. Benny se lança dans un compte rendu embrouillé de son échec avec les merveilles et Violette ouvrit de grands yeux : "Tu veux dire que c'est toi qui devais faire les gâteaux…" commença-t-elle.

C'est à ce moment que le téléphone sonna. Je me précipitai dans le vestibule pour répondre.

C'était l'hôpital départemental.

— Désirée Wallin ? Nous avons une patiente ici qui a donné ce numéro. Elle voudrait que vous veniez la voir si possible. Ce n'est pas la peine d'attendre les heures de visite, venez quand vous pouvez. Service 34, chambre F, c'est une chambre particulière. Mais il faudrait que vous parliez avec le docteur avant de la voir. Nous n'avons malheureusement pas le droit de donner des informations sur l'état de la patiente au téléphone. Son nom ? Je ne l'ai pas dit ? Elle s'appelle Märta Oscarsson. Elle a été hospitalisée il y a deux jours. Est-ce que je peux lui annoncer votre visite ?

— Oui, j'arrive tout de suite ! chuchotai-je, puis je retournai dans la cuisine.

— Est-ce que je peux prendre ta voiture, Benny ? Märta est tombée malade !

Je ne sais pas s'ils m'ont crue et c'était le dernier de mes soucis. J'ai pris la camionnette de Benny et j'ai fichu le camp.

40

— Bon, eh bien, je ne dis rien, moi, rien du tout !
a dit Violette quand Désirée est partie, et j'ai entendu
tout ce qu'elle n'a *pas* dit : "C'est quoi ces manières,
de partir comme ça quand il y a des invités ? Qui en
plus se sont donné la peine d'apporter à bouffer ? Parce
qu'ils ont compris qu'elle ne sait même pas préparer
des boulettes de viande ! Ou qu'elle n'a pas envie…"

Bengt-Göran était rond comme une barrique et
marmonna que celle-là, il va te falloir la dompter.
L'avoir à l'œil. Tu serres un peu la vis, elles aiment ça.
Si ça se trouve, elle est retournée chez elle et tout ce
qu'elle attend, c'est que tu viennes la reprendre en
main ?

Il s'est léché les lèvres et a flanqué un coup de
coude à Violette qui a failli tomber de la chaise. Puis
ils sont rentrés chez eux, enlacés, et je suppose que
Violette a été la seule à tirer un quelconque profit de
ces réjouissances. Bengt-Göran peut être assez dur
à la détente, elle le taquine en général pour ça dès le
troisième verre.

Après leur départ, je suis simplement resté assis,
les bras ballants et les mains glissées entre les genoux,

sans savoir quoi faire. Pourquoi elle était partie ? Est-ce que quelqu'un était réellement tombé malade ? Je sais qu'il faut s'habituer à Bengt-Göran et Violette par petites doses, mais d'un autre côté, quand Désirée m'a présenté à des amis à elle en ville, j'ai eu les cheveux qui se sont dressés sur la tête. C'était un soir après le cinéma, dans un pub.

Ce n'est pas qu'ils n'étaient pas sympathiques, pas du tout ! Ils étaient super sympas avec le pauvre blaireau de la campagne, ils parlaient très distincte-ment et traduisaient tout de suite en mots à deux syllabes ceux à quatre. Un gars qui travaillait à l'institut de formation et qui conduisait une BMW, il m'a tapé dans le dos en disant qu'il avait toujours voulu travailler avec son corps, et il ne fallait pas négliger toutes les subventions et les possibilités de déduire les frais, et je n'aurais pas par hasard de la bonne viande à vendre ? Et une petite bibliothécaire exaspérante m'a demandé ce que les paysans faisaient en hiver. "Tu veux dire pendant l'hibernation des vaches ?" ai-je sifflé et ça a tout de suite refroidi l'ambiance à notre table.

Les gens comme ça, ils me fatiguent tellement. Ils ont lu des articles dans les tabloïds sur des proprié-taires terriens prospères qui profitent des subventions, et puis ils savent aussi que les gros gagnants par les temps qui courent, ce sont ces rusés de paysans. "Et comment vous expliquez que des tas de fermiers mettent la clé sous la porte tous les jours, essaie-t-on de croasser, dans vingt ans il n'en restera plus un seul en Suède !" Mais alors ils sont déjà passés à autre chose.

Ils devraient nous classer espèce protégée. Nous sommes menacés d'extinction, comme les faucons pèlerins et les anémones des bois. Et je sais pourquoi. J'aurais voulu pouvoir leur dire que mon père, il pouvait s'installer sur le tracteur, le petit, et partir acheter une plaquette de chocolat au kiosque avec ce que lui rapportait un litre de lait. Pour ma part, je serais obligé de prendre le même vieux tracteur, réparé avec du chatterton et du mastic spécial fer, et débourser ce que me rapportent cinq litres. On ne me paie pas beaucoup plus le lait aujourd'hui que ce qu'on le payait il y a vingt ans, alors que le prix du chocolat, lui, a bougé. Tout comme celui du fuel.

Et ça fait un bail que je n'ai pas pu me payer un remplaçant. Je me demande si le gars avec la BMW qui aimait le travail physique l'aimerait autant s'il avait des semaines de quatre-vingt-dix heures sans aucune prime d'horaires pénibles même pour le réveillon de Noël ?

Le pire, c'est qu'on ne peut jamais ouvrir la bouche pour le leur expliquer, même si on savait par quel bout commencer. Ils se jettent des regards sous-entendus et disent que c'est bien connu, les paysans se plaignent tout le temps. Soit il pleut trop pour les patates, soit il fait trop sec, ha ha !

Désirée et moi, on n'a jamais parlé de ça, pas après la Grande Crise quand elle avait trouvé mes vieux bulletins de notes. Elle n'ose pas demander pourquoi je ne rends pas mon tablier, alors qu'elle en a sans doute envie. Je n'ai pas la force d'entamer une explication. Si je cessais l'activité, je serais obligé de quitter la ferme avec seulement des dettes dans les bagages – oui elles me collent, j'ai été con au point d'emprunter des millions pour moderniser, plus d'argent que je pourrais ramasser même si je vendais tout le merdier aujourd'hui. Et où est-ce que c'est écrit que je trouverais un boulot me permettant de rembourser tout ça ? Mais oui, mais oui, il existe des foyers pour célibataires et on peut toujours faire une demande au service conseils aux consommateurs de la commune pour obtenir un réaménagement de la dette… Putain, on croit rêver !

Et si je vends, si je ne suis plus Benny de Rönn-gården, qui suis-je alors ?

Moi, pour être bien, je dois avoir du fuel sous les ongles et un solide parc de machines avec un poste à soudure et un karcher, je dois être abonné à *Animaux domestiques* et à *Petites annonces pour agriculteurs*, et je dois avoir deux tracteurs, un John Deere et un Valmet, et une presse à ballots ronds et un épandeur à fumier et une grue forestière ! Jusqu'à ce que l'huissier vienne m'annoncer la liquidation judiciaire avec vente aux enchères !

Vous m'enlevez le John Deere, vous me mettez un costume, et j'aurais l'impression d'être un travelo.

On n'a fait qu'évoluer avec beaucoup de prudence à la périphérie de ce sujet, Désirée et moi. Elle m'a demandé une fois s'il n'y avait pas autre chose que des vaches qui pourraient être rentables dans une ferme, je suppose qu'elle pensait à l'élevage de truites et à la culture d'immortelles et ce genre de choses. J'ai répondu, un peu sèchement, que les seules choses qui paraissaient vraiment rentables dans ce monde étaient les armes, la drogue et le sexe.

Et on s'est tout de suite mis à tirer des plans sur la comète pour transformer la ferme en club X original, Désirée l'a baptisé Kinky Country Club. Venez voir comment font les animaux ! L'amour en habit de caoutchouc, ça vous branche ? Assistez à la fécondation d'une vache par l'inséminatrice en bottes et tablier ! Réservez votre place dans le grenier à foin pour la nuit de vos noces d'argent – nostalgie garantie ! Mettez du piment dans votre vie sexuelle avec un peu de SM, louez une bride à vache et attachez-vous mutuellement ! Et puis le Spécial de Rönngården ! Une décharge sexuelle que vous n'oublierez jamais ! Venez faire l'amour appuyés contre notre clôture électrique…

Il commence à être assez défoncé et abîmé maintenant, le sentier qu'on emprunte toujours quand une question qui pourrait être importante se met à nous brûler. On a recours à des blagues et on contourne tout ce qui est compliqué.

Merde, où est-ce qu'elle est passée ?

41

Toutes les catastrophes que tu m'as évitées
Tous les rires mobilisés pour me réchauffer
Tu ne me laisses pas te rendre tout ça
Tes fenêtres sont noires et la clé n'est plus là

J'avais vu Märta la veille du réveillon et ce jour-là elle ressemblait à une de ces filles scintillantes sur les marque-pages d'antan – joues rouges, yeux brillants, les bras chargés de paquets multicolores.

Sur une chaise en Skaï rouge râpé à l'HP, j'ai trouvé une femme plus très jeune au visage blême et bouffi, les mains vides reposant sur les genoux, paumes vers le haut. Je me suis agenouillée devant elle et je l'ai prise dans mes bras, elle a posé son menton sur mon épaule et j'ai senti ses yeux aller se fixer sur le mur en face.

Nous n'avons rien dit pendant un long moment.

— Qu'est-ce qu'il a fait ? demandai-je finalement. Je n'osais même pas imaginer ce que ça pouvait être, Robert l'avait déjà exposée à tant de misères et elle s'était toujours relevée comme une poupée chinoise.

Elle ne répondit pas. Elle finit par récupérer son regard et demanda, avec une ride mécontente sur le front :

— Pourquoi doit-on vivre en fait ? C'est tellement inutile et fatigant !

Ses yeux m'accusaient.

Je ne trouvai aucune réponse convenable, vu la manière dont la question était formulée.

— Mais tu as quand même voulu que je vienne, murmurai-je.

— Moi ? fit-elle. Je ne veux rien.

Je suis allée la voir tous les jours, je restais sans rien dire à côté d'elle pendant des heures. En tout cas, ça ne semblait pas la déranger. Si je demandais comment elle se sentait, elle murmurait des trucs style "Tous les voyants sont au rouge et j'ai perdu mes derniers sous parce que j'avais un trou à ma poche".

Au quatrième jour, sa bouche s'étira en un sourire oblique et elle me parla d'un test qu'on lui avait fait remplir, censé découvrir si elle avait des tendances suicidaires. Page après page, des centaines de questions du genre "Trouvez-vous la vie absurde ? Toujours / souvent / parfois" et "Vous sentez-vous inutile ? Tout le temps / en général / souvent".

— Si on n'a pas des tendances suicidaires avant ce test-là, c'est sûr qu'après on en a ! dit-elle, laissant échapper une bribe de sa nature habituelle. Ensuite elle raconta.

Six mois auparavant, Robert l'avait persuadée de se faire ligaturer les trompes. Elle ne pouvait pas utiliser le stérilet et Robert trouvait toutes les autres

méthodes globalement gênantes. Elle avait longuement réfléchi, puis elle avait avalé, comme une pilule
amère, le fait que Robert ne tenait pas à s'attirer
davantage de pensions alimentaires. Elle voulait
Robert, et tout a un prix.

La veille du réveillon de Noël, une femme a appelé
et demandé si Robert était là. Après la conversation,
il a marmonné quelque chose, a pris son blouson de
cuir et à disparu.

Il n'est pas revenu. Märta a passé le réveillon seule.
Mais elle le connaissait suffisamment pour ne pas
s'inquiéter, imaginer un accident de voiture et appeler
la police. Elle serait prévenue, et elle se préparait
déjà au mauvais coup à venir.

Deux jours plus tard, il est revenu, main dans la
main avec une jeune fille que Märta a tout d'abord
trouvée triste et boulotte.

Puis elle a vu que la nana était enceinte, de cinq
mois au moins.

Elle a appris que Robert venait de comprendre
seulement maintenant ce qu'était le Véritable Amour
et désormais il voulait tout faire pour Jeanette et
l'enfant. Ils étaient en route pour le stage parental à
la maternité et est-ce qu'il pourrait emprunter la
voiture de Märta pour le Nouvel An, après tout ils
étaient amis depuis longtemps ? La famille de Jeanette n'habitait pas en ville.

Il parlait à Märta, dont il avait partagé la vie plus
ou moins régulièrement pendant douze ans, avec une
affection un peu distraite, comme si elle était une cousine ou une vieille copine de classe.

— Je suis sûre que c'est comme ça qu'il a ressenti les choses sur le moment, ma tête à couper ! me dit Märta.

— Tu n'as pas assez de gosses comme ça ? a-t-elle seulement dit à Robert.

— Je crois que tu ne peux pas comprendre ça, Märta ! a répondu Robert très calmement. Je veux dire, tu as choisi d'éliminer de ta vie tout ce qui ressemble de près ou de loin à un enfant. Tu ne peux pas comprendre à quel point un homme peut désirer un enfant une fois qu'il a trouvé la femme de sa vie.

Alors Märta leur a prêté la voiture. Pour les faire sortir de l'appartement au plus vite.

Je tremblais comme une feuille en retournant au boulot.

Une semaine plus tard, Märta était sortie de l'hôpital. Elle était dans ma cuisine en train de hacher des oignons pour le déjeuner.

— Je me sens comme une figurante dans le film de ma propre vie, dit-elle. C'est moi qui passe dans le fond et qui entre et sors avec des armées et la populace et qui murmure dans les foules. Mais il y a aussi quelqu'un devant, au premier plan. Simplement, je n'arrive pas à voir qui c'est.

Elle s'exprimait souvent comme ça, par images oniriques, sans être gênée ni expliquer. Ensuite elle fit une chose vraiment émouvante.

Le couteau avait dérapé et elle s'était fait une entaille profonde au pouce. Elle regarda le sang un moment, puis ses yeux bifurquèrent vers cette affiche ridicule avec le couple dans le coquillage que Benny m'a donnée.

Vivement, elle traversa la pièce, grimpa sur le canapé et appuya son pouce sur les yeux de la femme, doucement comme une caresse.

Ainsi, la femme dans le coquillage pleurait des larmes de sang.

42

Elle a dit qu'elle ne pouvait pas me rapporter la voiture parce qu'elle devait tenir compagnie à sa copine à l'hôpital. Elle y passait toute la journée, et elle travaillait le soir. J'ai dû prendre le car pour aller chercher ma voiture devant son immeuble, elle avait planqué la clé sur une roue. Je suis entré dans la cour et j'ai regardé ses fenêtres. Les stores étaient baissés – des baguettes en bois, elle n'avait même pas de rideaux en tissu.

Elle ne répondait pas au téléphone, elle n'avait pas branché le répondeur non plus.

Cinq jours ont passé sans que j'aie la moindre nouvelle. Je me suis attaqué à tous les formulaires concernant l'exploitation qui tombaient sans fin dans la boîte aux lettres. Si par hasard elle revient ici un jour, elle trouvera mon cadavre refroidi étouffé sous une pile de formulaires, ai-je pensé. Puis elle m'enterrera probablement sous une de ces pierres de géomètre et commencera à guetter le pauvre type suivant sur les bancs des cimetières. J'ai réellement essayé de lui en vouloir, ça faisait un peu moins mal comme ça et ça me permettait de m'endormir.

C'est que je ne savais pas si elle n'avait juste rien à foutre de moi ou si elle avait une vraie bonne raison de garder ses distances. Est-ce que j'aurais fait ça pour Bengt-Göran ? Est-ce que je serais resté auprès de lui jour après jour à l'HP, me libérant dans la journée et travaillant le soir ? Est-ce que je n'aurais vraiment pas trouvé le temps de passer un simple coup de fil ?

Pfft. Comment voulez-vous répondre à ce genre de questions à la mords-moi le nœud ? Impossible d'imaginer Bengt-Göran avec des problèmes psychiques, je ne suis même pas sûr qu'il soit doté d'un psychisme. On pourrait le lobotomiser avec la tronçonneuse sans que personne n'y voie de différence. Et puis on n'est pas copains de cette façon-là, c'est surtout une vieille habitude d'enfance, et je n'ai jamais eu l'occasion de me faire d'autres amis.

Je trimballe sans doute aussi la même attitude envers les "problèmes de nerfs" que beaucoup de personnes âgées par ici. "Ils auraient dû descendre le premier psychologue, comme ça on aurait eu moins de problèmes", disait un vieux. Les nerfs, ça n'existait pas vraiment. Seuls les resquilleurs invoquaient les nerfs quand l'effort physique les barbait.

Si j'avais tenu ce genre de langage devant la Crevette, elle m'aurait envoyé directement sur le divan avec un coup de pied bien placé à l'entrejambe et elle m'aurait analysé en long et en large, j'en suis sûr.

Puis soudain elle a appelé. Elle semblait stressée et j'ai dressé l'oreille : "Qu'est-ce qui se passe ?"

— Ça va pas trop fort en ce moment, a-t-elle seulement dit. Je me suis demandé si elle avait l'intention de me dégommer tout de suite, là au téléphone. Réfléchis vite, Benny.

— Vendredi, c'est mon anniversaire. Trente-sept ans, ai-je réussi à articuler, pas très rassuré, avant qu'elle ait eu le temps de m'interrompre. Ça te dirait qu'on sorte quelque part ? Je comprends que tu ne sois pas d'humeur à boire du champagne, mais un petit galopin peut-être ? Après tout, ce n'est pas un très grand jour.

— Ou un petit verre de Champomy, pour un jour à ce point sans importance ? Sa voix a semblé un peu plus joyeuse et puis elle a décidé que ce serait elle qui organiserait les festivités et qu'elle viendrait la veille au soir pour pouvoir me servir le petit-déjeuner au lit. J'étais aux anges, j'ai gazouillé comme un foutu rossignol. Elle allait revenir !

Des fois par la suite, sur mon banc de cimetière, je me suis demandé si le début de la fin a eu lieu quand Violette et Bengt-Göran se sont pointés avec leurs gamelles ou si c'était à mon anniversaire. Je veux dire, on a continué à se voir ensuite, la Crevette et moi – c'était plutôt comme si l'oxygène venait à manquer.

Ça a si bien commencé. Le veille au soir, on a chahuté et rigolé comme au bon vieux temps et on a descendu toute une bouteille de champagne brut qu'elle avait apportée et qui, pour tout dire, avait le goût d'un truc qui aurait fermenté dans un bidon d'acide formique. Elle a trafiqué dans la cuisine derrière la porte fermée et elle a caché quelque chose dans mon placard. Je me suis accroché à elle pendant la nuit comme si j'étais sur le point de me noyer et elle le seul canot de sauvetage en vue. On s'est endormis tard.

Au matin, le réveil a sonné comme d'habitude. J'ai regardé la Crevette. Et mon petit-déjeuner ?

Elle ne s'était pas réveillée ! Je suis resté un moment au lit à me ronger les ongles et à me demander si je devais la réveiller discrètement. J'ai fait sonner le réveil une deuxième fois tout en me raclant la gorge pire qu'un vieux poitrinaire. Mais elle ne s'est pas réveillée. C'est vrai qu'elle commence en général son travail à dix heures et moi à six, ceci explique sans doute cela.

Je suis arrivé pour la traite avec une demi-heure de retard sur mon horaire habituel, déstabilisé par des sentiments divers et variés et par le champagne acide de la veille. Evidemment, tout a merdé. Les vaches ont fait plus d'histoires que d'habitude et une génisse m'a donné un coup de patte dans le tibia. Mon humeur n'était pas au top quand j'ai eu fini.

En rentrant, j'ai pris une douche express, puis j'ai entrouvert la porte de la cuisine.

La bouteille de champagne était toujours là, avec un vieux fond de jus aigrelet. La cuisine était silencieuse et vide. Elle ne s'était pas réveillée.

Mais bordel de merde, j'étais quand même content qu'elle soit là, dans la maison. Pourquoi est-ce qu'il a fallu que je monte m'habiller dans la chambre en foutant un bordel pas possible rien que pour voir sa réaction ?

— C'est l'odeur de martyr grésillant sur le bûcher que je sens ? ai-je entendu dans la literie froissée. Elle a regardé sa montre, puis moi, en plissant les yeux.

— Je ne m'étais attendu à rien de particulier, ai-je murmuré.

— Ça veut dire quoi, ça ?

Des yeux bleus hargneux et agacés clignotant entre des cils blancs. Elle a bondi du lit et a commencé à enfiler ses sous-vêtements robustes en pur coton naturel.

— Quelque chose de particulier, voilà ce que tu auras. Pas "rien de particulier" !

C'était *moi* maintenant, le coupable ? Sans un mot, je suis redescendu dans la cuisine, elle m'a suivi, et elle a réussi le tour de force de donner un petit air de sabots en colère à ses pieds en chaussettes.

J'ai pris la cafetière pour la remplir d'eau. Quand j'ai tourné le robinet, il m'a explosé dans la main en crachant de l'air. Merde ! Cette putain de pompe était encore tombée en panne ! Il fallait que j'y aille. Et que je trouve le plombier !

La Crevette m'a regardé à la dérobée en sortant quelque chose du frigo.

— Il n'y aura pas de café ! ai-je dit. La pompe s'est encore arrêtée !

— Alors il y aura de la bière et du gâteau ! a-t-elle souri. Mais j'étais trop remonté pour noter le changement d'attitude. Il ne lui est pas venu à l'esprit que s'il n'y a plus d'eau dans une ferme, le problème majeur n'est pas de savoir si on aura du café ou non.

Le problème, c'est vingt-quatre vaches assoiffées, plus le recrutement.

— De la bière ! Les vaches suédoises ne boivent pas de bière, même si j'avais plusieurs centaines de litres. Mais c'est une bonne chose que tu sois là, j'ai besoin de quelqu'un pour m'assister. Je vais voir ce que je peux faire avant d'appeler le plombier ! Il faut qu'on y aille tout de suite, ai-je dit sur un ton que j'ai essayé de rendre gentil.

Elle m'a fixé sans bouger d'un poil. J'avais déjà enfilé mon blouson.

— Attrape ça ! ai-je aboyé en lui lançant mon blouson de cuir. Et tu peux prendre les bottes de maman, elles sont dans le placard. Qu'est-ce que tu attends ?

— Rien ! a-t-elle sifflé. Mais mon boulot m'attend ! Tu n'as qu'à te trouver un autre valet pour aujourd'hui !

Tout était dit. Je me suis précipité au local de la pompe, après un moment j'ai entendu sa voiture démarrer dans la cour.

Je me suis escrimé tout seul sur la pompe pendant plusieurs heures, de pure rage, mais il aurait fallu être deux. Je n'y suis pas arrivé et je suis rentré appeler le plombier. Sur la table de la cuisine, il y avait quelque chose qui ressemblait à une énorme saucisse, et une bouse de vache sur une assiette. En fait, c'était un filet de bœuf entier en salaison et un gâteau au chocolat assez raté. A côté, un petit mot.

"Benny ! Tu es un idiot, et moi aussi. Mange le gâteau, trime à ta guise toute la journée, mais viens chez moi ce soir à sept heures au plus tard. S'il te plaît. Si tu pouvais ne pas venir en salopette, ce serait bien, parce que j'ai l'intention de t'emmener fêter ton anniversaire."

J'étais trop fatigué pour réagir. Si je m'allonge sur la banquette, j'aurai le temps de dormir deux, trois heures, ai-je pensé. J'ai avalé un peu de gâteau et de filet de bœuf, me suis allongé sur la banquette et je venais juste de m'endormir quand le plombier a klaxonné dans la cour. Il a fallu remettre ça, fatigue ou pas. On a mis plusieurs heures à réparer la pompe, et ensuite c'était l'heure de la traite.

A six heures et demie, je me suis jeté dans la voiture, tout beau avec des cheveux propres et coiffés. Le gâteau au chocolat se battait avec le bœuf en salaison dans ma tuyauterie, je n'avais pas eu le temps de manger autre chose. J'espère qu'elle va m'emmener dans un super resto avec des grillades bien saignantes, ai-je pensé. Et de la sauce béarnaise !

Manque de sommeil et de nourriture, voilà la meilleure explication que j'ai trouvée à ce qui s'est passé ce soir-là.

43

De la poudre aux yeux, voilà ce que je t'ai donné
l'or s'est transformé en feuilles mortes au soleil
et tout surpris, tu as regardé mon visage impatient

Je n'avais pas du tout oublié Benny au cours de ces
jours passés au chevet de Märta à l'hôpital. Je l'avais
seulement remis à plus tard, parce que je n'arrivais
pas à gérer plus d'une chose à la fois.

A plusieurs reprises, je fus sur le point de m'épan-
cher à son sujet auprès de Märta – pendant tant
d'années, j'ai fonctionné ainsi dès que je n'arrivais
pas à me dépatouiller d'un truc. Mais ce n'était vraiment pas le moment. Et en pensant à ce salaud de
Robertino, j'avais envie d'épingler les hommes du
monde entier, de les clouer par les pouces. La réalité
s'est en quelque sorte arrêtée pendant ces jours-là.
Je tenais compagnie, je travaillais et je dormais. Je
réfléchissais. La dépression est contagieuse, qu'on
ne vienne pas me dire le contraire.

J'ai quand même fini par l'appeler. Et je me suis
réveillée de ma triste torpeur quand j'ai entendu que

c'était son anniversaire, et que je me suis rappelé ce qu'il avait fait du mien. Je suis allée en ville acheter du champagne, des roses, un filet entier de ce bœuf en salaison dont il raffole. Et après moult réflexions, je me suis acheté un bleu de travail, il comprendrait bien qu'en réalité c'était un cadeau pour lui. Oui, j'avais vraiment l'intention de lui emboîter le pas de temps en temps et me montrer Solidaire de mon mieux. Puis j'ai acheté deux billets pour une représentation de *Rigoletto* en tournée dans notre ville. C'est mon opéra préféré, personne n'y résiste. Ai-je pensé. Je crois que j'ai imaginé une sorte d'équilibre sur le tape-cul – opéra et bleu de travail.

J'ai caché le bleu dans son placard et j'ai mis au four une préparation pour gâteau, il ne ressemblait pas du tout à la photo sur le paquet, c'est tout ce que je peux en dire. J'avais eu l'intention de le réveiller en chanson, vêtue du bleu de travail, avec le gâteau et du café, et en brandissant les billets. J'avais laissé les roses dehors sur le perron pour qu'elles se conservent. Le soir, nous nous sommes blottis ensemble en position fœtale sur la banquette, le champagne entre nous. La nuit a été merveilleuse, je me sentais comme sa jumelle siamoise, je ne savais pas qu'on pouvait être aussi près de quelqu'un sans avoir la même circulation sanguine.

Puis, je ne me suis pas réveillée.

Ça, c'était mauvais. J'ai eu honte, dès que j'ai compris où je me trouvais. Benny faisait du remue-ménage dans la chambre, en me tournant tout le temps le dos, et sur son dos il y avait écrit en grosses lettres : *C'EST MON ANNIVERSAIRE MAIS JE DOIS TRAVAILLER ET TRIMER QUAND MÊME ALORS QUE CERTAINES DORMENT !* Et en lettres plus petites : *Je n'ai même pas eu de café !*

— Quoi qu'il en soit, je ne m'attendais à rien de particulier de ta part ! a-t-il dit et ça m'a fait voir rouge, tout de suite. C'était trop pour moi, de passer de jumelle siamoise à cette honte et cette culpabilité. Je lui rétorquai qu'effectivement il n'aurait rien de ma part et j'avais en tête le bleu, sorte de reconnaissance de son travail, et l'aide que je lui aurais apportée selon mes capacités. Dans la cuisine, je réussis à me calmer suffisamment pour penser à sortir le gâteau. Et tout à coup, il fut devant moi, un blouson de cuir entre les mains qu'il me lança, puis il me donna l'ordre d'aller travailler dehors. Il cracha un truc à propos de vaches qui ne boivent pas de bière, pour me faire me sentir vraiment à l'ouest.

Une fois qu'il fut sorti, je jetai le bleu de travail dans la voiture, je mis les roses à la poubelle, de toute façon elles avaient gelé durant la nuit, et je m'assis à la table de cuisine en respirant fort. Pour finir, je lui écrivis un mot. C'était vraiment trop nul, tout ça, il devait bien y avoir un moyen de s'en sortir.

Je ne l'ai vu apparaître qu'à sept heures et quart le soir, les cheveux mouillés et avec un sourire prudent. J'avais eu l'intention de décortiquer quelques questions de premier ordre en mangeant un morceau avant la représentation, pour instaurer une bonne atmosphère d'entrée en matière de *Rigoletto*, mais on n'en eut pas le temps. Nous nous précipitâmes au théâtre, et j'eus tout juste le temps de lui souffler bon

202

anniversaire avant l'ouverture. Il hocha la tête et lorgna le programme dans le noir.

Je ne suis pas du tout une fan d'opéra et d'opérette, l'intrigue par exemple de *La Chauve-Souris* me paraît d'une telle bêtise que ça n'a pas de sens de venir en salle pour la voir, il suffit de l'écouter sur disque. Mais *Rigoletto*, c'est un opéra avec du sang et des entrailles, qui parle de culpabilité, d'innocence, d'amour envers et contre tout et avec une musique qui vous fait grimper aux rideaux. Pour moi, Gilda avec sa passion fatale s'est ce soir-là transformée en Märta telle qu'elle était à l'hôpital psy. Dans la scène finale, quand Gilda donne sa vie pour le duc qui est en train de s'amuser en compagnie d'une nouvelle conquête, je pleurai sans retenue et enfonçai mes ongles dans mes mains. J'étais très occupée avec le mouchoir quand les lumières se rallumèrent, et j'espérai que Benny serait indulgent avec moi.

Je n'avais pas besoin de m'en faire. Il dormait profondément. Il s'était calé un peu sur le côté dans le fauteuil et émettait un mini-ronflement disgracieux, la joue contre le bord du dossier et la bouche ouverte. Il me fallut dix minutes pour le réveiller et tout le monde avait les yeux rivés sur nous.

Après cela, c'était fichu pour la soirée. Pas un mot ne fut dit entre nous sur le chemin du parking, je ne lui demandai même pas de rester pour la nuit. Il devait se lever à six heures du matin.

Arrivés à la voiture, il posa sa main mutilée sur ma joue avec un sourire pâle.

— On est quittes ? dit-il. Je ne pus m'empêcher d'embrasser ses jointures vides.

44

C'est évident que ça ne peut pas marcher. C'est foutu d'avance.

Pas seulement à cause de la ferme. Je me vois rentrant le soir complètement crevé – quand on fait le foin par exemple – pour la trouver en train de m'attendre, les billets d'opéra dans une main et tambourinant avec les doigts de l'autre sur la table. De l'opéra, seigneur ! Pendant tout le premier acte, j'ai très bien entendu mon estomac gargouiller plus fort que le gros lard avec son épée qui hurlait pire que s'il appelait ses vaches. La Crevette devrait s'estimer heureuse que je me sois endormi, j'aurais pu la discréditer bien plus si j'avais été éveillé. J'aurais pu dire franchement ce que j'en pensais – à voix haute.

Mais elle n'était pas très contente, c'est sûr. Je l'ai bien vu.

Il n'y a pratiquement pas un seul domaine où nous avons les mêmes opinions. Désormais, on évite soigneusement la politique. Je me rappelle la première bataille. Pour commencer, je lui ai montré un courrier des lecteurs que je trouvais rigolo, et pour finir elle m'a traité de fasciste et elle s'est endormie en me tournant le dos. Et il y en a eu d'autres. Maintenant on a presque tendance à détourner la tête, un peu embarrassés, quand on regarde la télé et qu'on sait d'avance que nos avis vont diverger.

On n'est probablement pas nés dans des signes compatibles. C'est ce qu'aurait dit tante Astrid, c'était sa passion à une époque. Elle essayait toujours de nous imposer une ligne de conduite quand notre ascendant était dans Jupiter, et maman et moi, on se moquait gentiment d'elle. J'avais trouvé une coupure de journal qui soutenait que tous les horoscopes contemporains avaient en fait un mois d'écart, puisque le calendrier romain en vigueur quand on les avait établis s'était décalé avec les siècles. Tante Astrid en a été tellement ébranlée qu'on a eu honte. Elle s'était habituée à être un Taureau beau et généreux, et voilà qu'en réalité elle était Poissons.

La Crevette aussi lit les horoscopes, mais pour se foutre de leur gueule. "Si tu étais né deux jours plus tôt, tu aurais été une nature rêveuse et artistique et un hédoniste qui vit au jour le jour", a-t-elle dit sur un ton venimeux en lisant l'horoscope du signe avant le mien. Sous-entendu que j'aurais été bien mieux placé dans ce cas-là. "Les éleveurs de vaches qui rêvent et qui vivent au jour le jour font faillite ou se font écraser par leur tracteur", ai-je murmuré.

Mais il n'y a peut-être que les horoscopes pour expliquer l'attirance qu'on a l'un pour l'autre, bien qu'on résiste bec et ongles, je crois bien qu'on en est arrivés à ce point-là. Il faudrait engager une carto-mancienne pour tirer au clair ce mystère. Il y a peut-être un foutu transcendant ou je ne sais pas quoi en Vénus qui se trouve dans la douzième maison avec Mars ? Ne pourrait-on pas tordre un peu ces lignes et ces cercles pour se libérer un jour et cesser de rêver aux petites crevettes pâles, et pouvoir avancer vers le bonheur avec une jeune femme solide, formée pour tenir une maison et fournie par la boîte d'intérim ? Et la Crevette pourrait trouver la paix auprès d'un barbu avec dix-huit mètres linéaires de livres et des vacances qui durent tout l'été.

On a continué à se voir après l'anniversaire catastrophique mais c'était comme si on se surveillait mutuellement, essayant d'accumuler les obstacles. "Je ne peux pas me libérer cet été mais si j'arrive à dégager deux, trois jours en septembre, j'aimerais aller pêcher aux Lofoten ! dis-je d'une voix enthousiaste. Ça, c'est pas ton truc, je crois ?" "Non, effectivement. Plutôt le festival d'Avignon, j'adore le théâtre d'avant-garde. C'est en juillet !" riposte-t-elle, en ajoutant : "Et en français !"

On essaie chacun de se persuader, et de persuader l'autre, que le moment de quitter la fête, c'est quand on s'amuse le plus. Avant qu'il n'y ait des dégâts. Je ne voudrais vraiment pas faire du mal à la Crevette, je préférerais me couper les doigts qui me restent.

Je ne pense pas qu'elle l'ait compris. Je déteste par exemple quand elle se met à énumérer toutes les horreurs que ce Robert a fait subir à sa copine Märta. Elle s'y emploie souvent ces temps-ci. Je me sens visé en quelque sorte quand elle s'y met, je crois qu'elle ne se rend pas compte de ce ton "ça, c'est les hommes" qu'elle prend. Parfois je dis des trucs style "Oui mais merde, elle l'a peut-être provoqué", et ça lui fait péter un plomb. "Mais *moi* je ne suis pas comme ça, j'essaie de dire. Tu nous trouves égoïstes et consommateurs de femmes, mais ce n'est pas parce que je suis homme que je vais endosser ce que font les autres hommes ! Est-ce que toi tu endosses la culpabilité de toutes les saloperies que les Blancs ont faites aux autres races ? Et toi, tu es une vraie Blanche !"

Alors elle dit qu'elle ne m'a pas du tout comparé à Robert et pourquoi est-ce que je me sens obligé de le défendre ? "En tout cas, il ne l'a pas frappée, Märta", ajoute-t-elle – et me laisse là avec la honte, la honte de savoir qu'un tas d'hommes frappent leurs femmes. On piétine.

Après ces affrontements, le sol est tellement miné de tout ce qui a été dit ou qui n'a pas encore été dit qu'il devient difficile de jouer, alors qu'au début on savait si bien s'y prendre.

Mais pour être vraiment franc avec moi-même, je dois avouer que mon grand problème réside ailleurs. Depuis la mort de maman, ça se profile de plus en plus.

Je voudrais une femme, j'en ai besoin même, qui saurait arranger une sorte de chez-nous. Je m'en fous si elle achète les boulettes de viande toutes faites et si elle prépare les gâteaux avec un sachet de poudre, elle pourra mettre des rideaux en baguettes de bois et m'acheter des vêtements qu'on dirait la propriété du conseil général – rien à dire là-dessus, si seulement elle s'investit, et qu'elle parvienne à une sorte de système dans lequel on se sente bien. Les boulettes de viande, qu'est-ce qui m'empêche de les acheter moi-même, dirait la Crevette, et des vêtements pour me couvrir, j'en ai déjà – mais à ce train-là j'aurais toujours l'impression de n'être qu'une sorte d'appendice, d'ingurgiter des aliments pour survivre, de mettre des vêtements pour ne pas me faire arrêter par la police.

Bientôt je n'aurais plus à m'inquiéter de perdre la ferme et de me retrouver en foyer pour célibataires. Ça commence déjà à virer foyer pour célibataires ici. Et moi, je ne sais pas comment on fait. Je crois que je pourrais me débrouiller sans sexe, j'ai eu à le faire pendant de longues périodes – mais ne pas se sentir chez soi dans sa propre ferme, c'est pas marrant.

Et je ne crois pas que la Crevette voudrait. Ni qu'elle pourrait.

45

Je veux bien utiliser les moyens du bord,
et faire flèche de tous bois
Mais tout ce que j'ai sous la main,
c'est une poignée de brindilles toutes tordues

La vie se décomposa de plus en plus en deux moitiés. Inez Lundmark partit en préretraite, et je repris dans sa totalité la section Jeunesse. Je me laissai dévorer par le travail, j'organisai une semaine de théâtre pour enfants, je laissai des artistes locaux illustrer des contes avec les enfants, j'essayai d'amener les élus de la commune à miser sur de nouveaux projets culturels – pour finir, je me suis presque retrouvée sur une liste de parti politique. Je crois que je me suis fait la réputation d'une personne avec des idées plein la tête, et qui mène les choses à leur terme. Je participai à des salons et à des stages et je réussis quasiment à ferrer l'homme fort de la commune pour financer un festival de films pour enfants. Puis je compris que ce n'était pas tant le festival qui l'inté-ressait. Il m'avait proposé de l'accompagner à un événement similaire en Pologne pendant un week-end. Sa secrétaire m'a appelée pour demander s'il fallait vraiment réserver une chambre double ou s'il s'agissait d'une erreur. Toutes les bises sur la joue et les "ma chérie" ont illico pris tout leur sens. Quand je l'ai mis face au mur, il a d'abord dit qu'il voulait faire faire des économies à la commune… et il fallait vivre avec son temps, non ? Ensuite il a dit que sa secrétaire avait dû mal comprendre, elle était parfaitement incompétente et serait bientôt de trop dans l'équipe. Et voilà pour ce festival de films pour enfants.

C'était sans issue, cette histoire, les secrétaires auraient toutes fini par avoir des problèmes. En général, ces messieurs-là prennent leurs précautions. Mais je ne suis pas sûre qu'il cherchait uniquement une petite aventure dans les bras rassurants de la hiérarchie municipale – parfois il m'appelait la nuit, bafouillait et sanglotait au téléphone. J'en ai parlé à Benny, qui s'est proposé de mettre une fausse moustache et de prendre un boulot incognito à la mairie. Ce fut une des rares fois où j'ai réussi à l'intéresser un tant soit peu à ce que je fais – je crois qu'il a été un peu jaloux.

Le pire n'était pas que ce gros bonnet de la commune me drague, ni même que le festival n'ait pas eu lieu. Avec le temps, j'ai appris à ne pas brûler toutes mes cartouches quand j'essaie d'être agréable avec les hommes, car certains semblent d'une faiblesse incompréhensible pour des femmes dans mon genre. Ils croient d'abord que je suis frêle et quand ils réalisent que je ne le suis peut-être pas tant que ça, je deviens une énigme qu'ils se sentent appelés à résoudre. Ce n'est pas la première fois que ça m'arrive.

Non, le pire était que la femme de ce gros bonnet est une de mes collègues à la bibliothèque. Elle n'était évidemment au courant de rien – il n'y avait d'ailleurs pas grand-chose à savoir –, mais j'entendais sa rengaine dans la salle du personnel, et ce depuis des années :

— Maintenant que les enfants sont partis, Sten et moi on aura plus de temps l'un pour l'autre ! Si seulement Sten pouvait prendre un peu de vacances, on irait à Madère pour une deuxième lune de miel ! Sten et moi, Sten et moi…

Et la nuit, Sten reniflait dans mon téléphone.

A une époque, les maris occupaient pas mal de place dans la salle du personnel. C'était Liliane qui se plaignait le plus du sien :

— … et quand je rentre du boulot après avoir passé dix heures debout, je le trouve les pieds sous la table avec *Aftonbladet* étalé devant lui sur les coquilles d'œuf et les assiettes de corn-flakes du petit-déjeuner et il demande ce qu'il y aura pour dîner. Il veut tout le temps être consolé, parce qu'il n'a pas gagné au loto ou parce que quelqu'un n'a pas été sympa à son boulot ou parce qu'il est en train de devenir chauve. Vivement qu'il soit malade, ça me fera un peu de repos. Quand il est malade, il reste au lit à geindre et les enfants et moi on peut faire un peu ce qu'on veut…

— … jamais Sten ne ferait une chose pareille ! Il est tellement attentionné que des fois il prend même son petit-déjeuner au boulot…

Voilà comment elles y allaient et elles écorchaient rudement mes nerfs. Parce que j'étais persuadée qu'un jour elles avaient ressenti pour leur mari ce qui en ce moment m'attirait vers Benny. Je veux dire, je suis trop âgée pour croire que "Nous, on ne sera jamais comme ça…" surtout qu'on avait le vent contre nous en ce moment.

Si bien que la vie s'était scindée en deux parties : le travail intense mais plaisant qui me tenait occupée dans la journée – et le reste du temps que je passais de plus en plus à ruminer.

Sten. Le mari de Liliane. Robertino. Et Örjan.

Et Benny ?

Quel prix étais-je prête à payer, et qu'est-ce que je voulais réellement ?

En fait, il n'y avait qu'une personne à qui je pouvais le demander. Alors je suis allée la voir.

46

On se voit de moins en moins.

Elle ne peut plus emprunter la voiture de sa copine, apparemment elle l'a vendue, et je dois donc aller la chercher, ou alors il faut qu'elle prenne le car. Et il n'y en a qu'un en semaine, à sept heures et demie du soir. Alors elle arrive ici à huit heures et demie et vers dix heures, il faudrait que je sois au lit. Et je peux rarement aller la chercher avant huit heures du soir, ce qui fait tout aussi tard. Si je dors chez elle, je dois me lever à cinq heures.

Une heure et demie, une ou deux fois par semaine. Sans compter les semaines où elle est en déplacement.

Alors qu'il nous aurait fallu plusieurs jours rien que pour gratter la surface de nos propres blagues. Je ne peux tout de même pas dire "Est-ce que nous avons un avenir ensemble ?" dès qu'elle se débarrasse de son manteau dans le vestibule.

J'oublie de compter les week-ends quand elle vient ici toute une journée parfois. Mais alors on se dispute. Ou on évite de se disputer, mais c'est presque aussi épuisant.

Pourtant ces jours-là me manquent – les trois derniers week-ends elle était à des conférences et des stages et je ne sais pas quoi encore. Il ne me reste plus qu'à recommencer à la voir au cimetière, ma parole.

Je l'ai emmenée à une fête ici au village. Juste comme un ballon d'essai peut-être. C'était un peu glacial entre elle et Violette, mais elle a plu aux autres du village, la plupart ont dépassé la cinquantaine. Elle a discuté avec tant d'ardeur que j'ai eu peur qu'elle soit en train de les brancher sur des livres à lire – mais ils avaient apparemment parlé de l'histoire du village. Un intérêt sincère des deux côtés ne peut pas faire de mal – et de plus je sais que mes voisins ont hâte de me voir casé, c'est presque émouvant. Quand la dernière exploitation agricole disparaîtra, le village mourra, d'après notre façon de voir les choses – on a tous cela bien présent dans un coin de la tête. Je veux dire, ensuite le village se transformera en banlieue.

Je me rappelle que je me morfondais au-dessus de ma bière en imaginant Rönngården comme une villégiature pour les employés d'une entreprise de micro-informatique.

Tante Alma et oncle Gunnar, ce sont de vieux amis de maman, nous ont invités à prendre le café. Le dimanche.

— Désolée, je ne peux pas ! Je prends l'avion pour Uppsala à trois heures demain après-midi ! a dit Désirée.

Et voilà.

Quand je vaque à mes occupations solitaires dans l'étable, je me dis de plus en plus souvent qu'il me reste trois possibilités, et que je ne dois pas trop tarder à me décider.

Un : J'essaie de convaincre Désirée de se déraciner et de s'installer chez moi. Elle ne l'envisage pas une seule seconde, je le sais – la question l'agacerait.

Deux : Je vends la ferme, je déménage en ville et je garde le café au chaud jusqu'à ce qu'elle revienne d'Uppsala. Là, c'est moi qui ne l'envisage pas une seule seconde.

Et trois : Je regarde la réalité en face et j'abandonne un projet impossible à mener à bout. Puis je me trouve une femme qui peut envisager de partager plus que trois heures par semaine avec moi. Car la quatrième possibilité, celle que je préfère ne même pas évoquer, c'est de rester vieux garçon. Comme Lars, que les gens appellent toujours le petit des Nilsson, bien qu'il ait quarante-six ans. Il habite seul à la ferme avec sa vieille mère, il a quelques bêtes à viande et il travaille à mi-temps à la Coop. Il a installé une gigantesque parabole, il reçoit des colis tamponnés *Discrétion assurée* et il ne vit que pour la chasse aux grands gallinacés forestiers, à part ça je ne lui connais pas d'intérêts particuliers. Il passe de temps en temps à Rönngården sous un prétexte bidon et il reste trois heures. Si Désirée est là, on soupire tous les deux derrière le rideau quand on voit sa voiture entrer dans la cour.

Non, jamais comme Lars. Le petit des Söderström, cinquante-trois... je ferais n'importe quoi pour échapper à cela. Et le temps commence à être compté maintenant.

Il y a peut-être dans l'air un bourdonnement d'angoisse de vieux garçon qui accueille Désirée quand elle vient me voir. Elle arrive avec des attentes, elle dresse le menton et prétend qu'elle veut seulement jouer. Petite crevette, encore fillette il y a peu de temps, sans crainte de se retrouver seule dans sa vie palpitante de citadine.

Lorsque, de plus en plus rarement, je réussis à la mettre dans mon lit, j'ai une pierre dans le ventre. Parce qu'elle est toujours aussi vertigineusement blanche qu'avant, chaude et gracieuse, et je lui dis : "Ce sera ta faute si je meurs avant l'heure ! Les statistiques d'espérance de vie sont mauvaises pour les hommes célibataires !" Et quand elle se tortille comme une anguille dans ses efforts pour éviter de répondre, elle ne comprend pas que c'est la sonnerie du dernier acte qui retentit.

47

Je ne tiens pas à être première à l'arrivée
à faire des sauts et à lancer des poids –
Pourquoi serait-ce plus noble de franchir la barre
par-dessus que de passer en dessous la tête haute ?

Bien sûr que j'essayai de faire comme si c'était une visite de politesse. J'apportai des fleurs, des tulipes hors de prix et un boîte de darjeeling exclusif.

Elle ouvrit la porte en gardant la chaîne de sécurité. En m'apercevant, elle me fit entrer, mais sans enthousiasme. Elle n'était pas hostile non plus, plutôt distraite. Comme une personne qui en fait était un peu trop prise pour avoir le temps de s'occuper de visiteurs.

— Bonjour Inez ! fis-je. Ça fait longtemps ! Comment vous allez ?

— Pourquoi ? demanda-t-elle. Quel intérêt est-ce que ça a pour toi ?

Elle le dit sans aversion. Je crus comprendre qu'Inez trouvait désormais la vie trop courte pour la perdre en bavardage. Alors je décidai séance tenante de ne pas utiliser d'autres mots que ceux que je pouvais étayer.

— Un certain intérêt, dis-je. J'ai beaucoup pensé à vous. A votre façon d'observer la vie et à la sagesse que vous devez avoir. Je voudrais que vous partagiez un peu avec moi.

— Mhmmm ? dit-elle sans se compromettre.

— Un jour vous avez forcément fait un choix, dis-je. Et moi aussi, j'aurai un choix à faire, bientôt. Ce serait assez intéressant de savoir un peu comment vous avez raisonné. Ce qui vous a fait choisir les archives plutôt que le vécu de première main. Vous comprenez ce que je veux dire ?

Deux roses rouges éclatèrent soudain sur ses joues, elle se leva et alla mettre les tulipes dans un vase en cristal ancien, qu'elle trouva tout en haut dans un placard de la cuisine, j'ai vu qu'elle était obligée de monter sur une chaise pour l'atteindre. Puis elle revint et se rassit, elle ôta ses lunettes et me regarda d'un air irrité.

— Qu'est-ce qui te fait croire que j'avais le choix entre plusieurs options ? Evidemment que je n'avais aucun choix pour ce qui est du vécu de première main ! Mes parents étaient missionnaires en Tanzanie, j'ai été élevée par une tante célibataire, une femme parfaitement bordélique et désordonnée, par ailleurs ! Quand j'ai commencé la formation de bibliothécaire, c'était une grande liberté qui m'était offerte, c'était grisant. J'ai pu organiser les choses à ma façon. En systèmes. Mais j'aurais évidemment pu choisir des vécus de deuxième main. Faire des stages de peinture sur porcelaine et partir en voyage organisé. Ça ne m'a jamais attirée. Ensuite j'ai travaillé à la bibliothèque pendant trente-sept ans, voilà tout ! Et je te le dis tout de suite, ça ne m'intéresse pas le moins du monde d'avoir "des amis et des confidents" ! Est-ce que *toi*, tu comprends ce que je veux dire ?

— Si vous me mettez à la porte, Inez, je rentre chez moi et je crée immédiatement un fichier sur vous ! dis-je. Alors elle sourit un peu.

Ensuite on parla pendant presque une heure. Elle nous prépara une tasse chacune de mon darjeeling, mais vu comment elle s'y prenait, ça aurait tout aussi bien pu être du Tetley en sachets.

— Ce que j'attends de vous, ce n'est pas un conseil, dis-je, seulement un autre regard. Un regard perçant comme le vôtre. Qu'est-ce que vous entendiez par "soit Benny n'est absolument pas pour moi, soit il est le seul possible" ?

Elle se leva et alla chercher mon dossier dans l'armoire.

— Mmm… je ne vous ai observés qu'à trois occasions, dit-elle. La dernière était juste après Noël, avant que je parte à la retraite. Qu'il n'est pas pour toi, je n'ai pas besoin de le dire, tu le sais sûrement toi-même. Sa façon de s'habiller… et tu ne me diras pas le contraire, on choisit son extérieur, consciemment ou inconsciemment. Mais il y avait cette autre chose. Ce sentiment que j'ai vu. Oui, de votre part à tous les deux. Ton mari paraissait beaucoup plus sympathique, mais quand il venait à la bibliothèque, ça ne te faisait pas interrompre ton travail. Tu ne laissais rien tomber et je ne t'ai jamais vue faire comme si tu ne le connaissais pas, même au début. Ça ne te semblait sans doute pas nécessaire. Mais cet homme-là, tu as presque été malpolie avec lui. Et lui, il est resté avec le livre dans ses mains comme si c'était un chiot adoré. Bon, je ne peux rien dire de plus, je ne suis pas initiée à ces subtilités. Mais c'est une chose que j'ai déjà vue et ça finit toujours par passer, ajouta-t-elle presque méchamment.

— Le seul possible, insistai-je.

— Je l'ai dit parce que *toi* tu étais différente. Je ne t'avais pas vue comme ça avant. Et maintenant, il faudra que tu m'excuses mais j'ai pas mal de choses à faire.

Puis elle me montra son dernier projet. Elle avait commencé à collectionner et à archiver des dépliants publicitaires, elle répondait aux offres spéciales, participait à des concours et classait les résultats.

— Mais je n'aime pas quand ils m'appellent "Chère madame I. Maria Lundmark" ! dit-elle avec fermeté.

Inez sait qui elle est, et ils n'ont qu'à faire avec. Que les choses soient claires !

48

Pourquoi, bordel de merde, serait-ce si impossible que ça ? ai-je pensé un jour quand j'avais loupé le contrôle des chaleurs parce que je bavardais au téléphone avec la Crevette. Deux adultes, presque du même âge, une maison, une ville tout près, deux boulots. Habiter ensemble, faire la navette, retaper la maison… avoir des enfants. Dormir ensemble toutes les nuits, se voir plus de trois heures par semaine.

Je m'en suis fait une image tellement vivante que j'ai eu tendance à voler par-dessus tous les obstacles sur lesquels nous avions buté jusque-là, de plein fouet. J'ai attaqué le problème à ma façon en commençant à faire des projets pour la maison.

La maison d'habitation de Rönngården est vaste. Une grande cuisine, une petite chambre, une salle de séjour et un vestibule. Deux chambres à l'étage, un grenier aménageable. Si on transformait la petite chambre en pièce de travail pour elle… pour l'instant il n'y a que le métier à tisser de maman, je n'y ai pas mis les pieds depuis un an, je crois. Ma chambre pour nous, celle de maman comme chambre d'enfant… et on trouvera bien une place pour ses foutues étagères de livres.

Ensuite j'ai calculé pour voir si on aurait les moyens de lui acheter une voiture. Si elle vendait son appartement, elle n'aurait plus les charges à payer... mais elle serait trop occupée pour travailler à plein temps, et elle s'arrêterait certainement pendant quelques années quand le premier môme arriverait... ou alors un mi-temps, si elle insiste. Il n'y a pas de crèche au village... mais Violette pourrait peut-être le garder...

Voilà comment je délirais, et bien sûr, ça m'a aidé à passer le dernier mois, avant que le stress d'enfer des mois d'été n'éclate. J'étais tellement parti dans mes prévisions que j'oubliais totalement la Crevette. Et puis un jour, alors qu'elle était en plein dans une sorte de festival de théâtre pour les gamins, elle est venue, à contrecœur et en car, parce que je lui avais dit que je voulais discuter d'un truc important avec elle. Je l'ai installée sur le lit-divan, j'ai cherché mes papiers, mes esquisses et mes calculs et j'ai démarré.

Elle n'a rien demandé, elle n'a rien dit du tout. Seulement quand j'en étais au chapitre temps partiel, mômes et Violette comme garde d'enfants, elle a poussé un petit gémissement. Quand je me suis tu, il y a eu un silence de mort.

Ensuite Désirée a parlé.

Elle m'a fait penser à la chienne que j'avais eue, celle qui grimpait sur les murs et voulait se sauver tout le temps.

J'ai tout mis en œuvre pour oublier ses paroles. En gros, c'était qu'elle ne pouvait pas imaginer – *visualiser*, disait-elle – qu'elle passerait le restant de ses étés à trimballer des paniers de pique-nique sur les bords des routes ou seule dans des pensions de famille avec des enfants éventuels. Qu'elle adorait son travail et qu'elle avait trimé dur pour arriver là où elle était aujourd'hui, qu'elle ne pouvait pas diriger une section Jeunesse à mi-temps et qu'un salaire de bibliothécaire à temps partiel ne couvrirait même pas les frais de voiture – elle serait obligée de demander ma permission chaque fois qu'elle voudrait aller chez le coiffeur. Et qu'elle préférerait avorter plutôt que d'avoir Violette comme nourrice.

Quand elle en a été là, tout était terminé pour ma part.

Elle a continué sa litanie comme quoi c'est bien comme ça, non ? et on n'avait qu'à attendre voir – et je n'ai pas eu la force de la contredire.

Ensuite elle s'est mise à dire que c'était très important que le papa aussi profite du congé parental et qu'elle voulait pouvoir voyager en été. Je ne lui ai même pas demandé si elle avait jamais entendu parler d'un éleveur de vaches laitières en congé parental et prenant des vacances en été. J'ai seulement hoché la tête, comme une de ces tirelires d'autrefois.

Le lendemain, elle a appelé pour dire qu'elle y était peut-être allée un peu fort, c'était des tensions prémenstruelles, disait-elle. Mais elle viendrait le samedi soir et elle apporterait quelque chose pour faire un bon petit repas en tête à tête.

C'était la première fois qu'elle prenait une telle initiative. Petite crevette, elle n'a même pas compris que c'est terminé. Et moi, j'essaie de me blinder.

49

J'aurais pu mouliner tout doucement pour l'avoir
j'aurais pu utiliser l'épuisette
l'écailler et lever soigneusement les filets
puis manger de bon appétit
– mais il a réussi à se libérer
ce putain d'amour

La situation est critique, dit le militaire. C'est le moment d'être prêt à tirer parce que l'ennemi rôde là dehors.

La situation était critique entre Benny et moi depuis quelques semaines maintenant. Le seul problème était d'apercevoir l'ennemi.

Quelque chose s'était passé qui ressemblait au début de la fin – quand exactement est-ce que c'est arrivé ?

On peut évidemment avancer que c'est arrivé la première fois que nous nous sommes rencontrés.

Sinon je dirais plutôt que c'est arrivé ce soir-là quand Benny a aligné ses plans pour retaper la maison, et ses calculs pour que je vende l'appartement que j'avais acheté avec Örjan et démissionne de mon travail. Ou au moins que je passe à mi-temps.

J'ai eu l'impression que j'allais suffoquer, une crise d'asthme psychique. Parce qu'il est venu frotter mon museau à la réalité, justement cette réalité que je m'étais efforcée de contourner. Bien sûr que j'avais réfléchi sur nous – mais sur nos "sentiments", et nos différences. Pour savoir si les "sentiments" tiendraient le coup pendant que nous y travaillions. Car, si nous n'y arrivions pas, nos conditions de logement n'auraient aucun intérêt.

Je suppose que j'avais réussi à plus ou moins me persuader qu'à la longue il finirait par trouver la production de lait trop usante. Il trouverait sans problème un boulot dans une boîte de tracteurs, vu sa connaissance des moteurs. Et nous pourrions chercher une maison plus près de la ville. S'il tenait absolument à garder la ferme familiale, il pouvait la mettre en gérance jusqu'à nouvel ordre. Je savais quelque part en moi que c'était un calcul optimiste – après sa crise de rage l'automne dernier quand j'avais mis la main sur son bulletin de notes, je devinais que ce ne serait pas si simple. Mais c'était une question que j'avais très bien réussi à tenir à distance. Et voici maintenant qu'il arrivait et me la déposait sur les genoux en remuant la queue.

Quand il a proposé Violette comme nourrice, mes barrages ont volé en éclats.

Alors je lui ai dit comment je voyais les choses, sans prendre de gants. J'étais consciente que c'était *operation overkill*, mais il s'agissait d'être claire, une fois pour toutes. Pourtant je ne souhaitais pas rompre tous les ponts. Je parlais avec enthousiasme de laisser voir venir et de commencer par approfondir notre relation, je disais que nous devrions indiquer nos besoins réciproques et en définir les priorités pour pouvoir nous adapter l'un à l'autre, j'avais sans doute un discours de thérapeute familiale déformée par le métier. Je voulais l'amener à penser différemment. Ne voudrait-il pas, par exemple, voyager et voir le monde avec moi, il n'avait jamais eu l'occasion de le faire. Ou connaître son enfant, prendre un congé parental et en même temps me donner la chance de miser sur ce qui est important pour moi.

Il semblait intégrer ce que je disais, il hochait tout le temps la tête d'un air pensif.

Ainsi, on aurait pu s'attendre à ce que nous nous mettions au boulot, pour arriver à cette fameuse adaptation et cet approfondissement. C'est le contraire qui s'est passé. Nous nous sommes enfouis chacun dans sa vie et nous n'avons pas cédé un pouce de terrain.

C'est presque devenu un sport. Benny faisait à peu près tout pour paraître un gars simple de la campagne sauf cracher le tabac à chiquer par terre et se battre au couteau, et je suis devenue femme de Carrière avec Centres d'intérêts Culturels. Trois C, on aurait pu y ajouter deux autres pour Complètement Conne.

Nous n'avons absolument pas essayé de jeter des passerelles au-dessus des ravins, nous avons cherché à nous y précipiter mutuellement. Peut-être espérions-nous tous les deux des miracles. J'attendais de le voir admettre qu'il avait une âme, lui attendait sans doute qu'un tablier me pousse sur le ventre pendant la nuit. Et nous luttions vaillamment, parce que la force d'attraction entre nous était toujours tellement forte que nous avions l'impression de pouvoir basculer à tout moment dans un trou noir. Le revers de la médaille était évidemment que nous nous disputions aussi plus âprement qu'il m'est arrivé de le faire avec quiconque.

Ensuite nous avons cessé de faire l'amour. Ça devenait trop compliqué. Ça faisait seulement mal dans le cœur.

Et alors il ne resta pas grand-chose. Parce que telle qu'était la situation il n'y avait plus de moments de complicité, il nous fallait sans cesse rehausser nos barricades.

Ça s'est terminé là où ça avait commencé, au cimetière. Nous y sommes allés ensemble un jour pour soigner nos tombes côte à côte.

Soudain Benny demanda : "Est-ce que tu crois que toi et moi, on se retrouvera un jour sous la même pierre ?" Il regarda la mienne, l'air de réfléchir.

Je regardai la sienne avec un frisson.

— Sous laquelle des deux ? C'est ça, la question, dis-je.

— Parce que moi, je ne le crois pas ! dit Benny.

Il fallut un moment pour que ça m'atteigne. Il ne croyait plus en nous. Plus maintenant et plus jamais.

Quelque part, quelque chose se mit à faire terriblement mal.

J'eus recours à notre anesthésique habituel et sortis une plaisanterie.

— Quoi qu'il arrive, pour moi tu seras toujours le mec de la tombe d'à côté, dis-je. Tu sais, comme dans les nouvelles qu'on trouve dans les magazines. Le mec de la maison d'en face. Ce type vraiment sympa qui a grandi avec l'héroïne. Elle ne comprend pas à quel point il est sympa avant de se faire larguer par un charmeur de la ville. Alors elle rentre, et se met avec le mec de la maison d'en face qui a fidèlement attendu. Quoi qu'il advienne de nous, je voudrais revenir vers le mec de la tombe d'à côté le moment venu. Vers toi, Benny. Et ensuite on pourra jouer au mikado avec nos os jusqu'à ce qu'aucun de nous puisse voir qui est toi et qui est moi. Est-ce que tu attendras fidèlement ?

Benny resta silencieux un moment.

— Pas si je peux l'éviter, dit-il. Et qu'est-ce qu'on fera des femmes et des maris qu'on aura ramassés en cours de route ?

— On les laissera tomber. Parce que c'est toi et moi, Benny, même si ça ne se fait pas dans cette vie.

— Si une femme décide un jour de faire de moi un homme honnête, je ne la laisserai pas tomber, dit-il. Elle sera de la partie.

On est restés longtemps sans rien dire.

— C'est peut-être mieux qu'on ne se voie plus du tout, dit Benny.

Sur le moment, j'étais reconnaissante qu'il prenne une sorte de décision pour nous deux. Et je n'acceptais pas que ça puisse être définitif en quoi que ce soit. Si bien que j'approuvai.

Il s'est levé et m'a serré la main. Nous nous sommes placés entre nos pierres tombales respectives, puis nous sommes restés enlacés sans rien dire pendant très longtemps, peut-être une demi-heure.

— On n'a qu'à se retrouver ici précisément, dis-je finalement. Dans cinquante ans environ.

— A un de ces jours ! fit-il, tristement. Et ensuite il s'en alla.

Je restai encore un moment avant de rentrer chez moi.

50

Je suppose que je ne saurai jamais si Désirée a réellement compris que c'était sérieux, au cimetière. Et dans ce cas, comment elle a pris la chose. Je crois qu'elle aurait pu continuer encore un bon bout de temps – se donner à fond au boulot pendant la semaine, et ensuite quelques heures de détente à la campagne. Si on considère que c'était toujours moi qui la relançais, comme un idiot en tripotant mon bonnet, c'est assez étrange que ce soit moi justement qui aie finalement pris la décision de rompre – en tout cas je crois que c'était moi. C'était une vie trop cher payée. Mais ça a failli me briser.

Dès que je suis rentré du cimetière, je me suis débarrassé de mes bottes, je suis entré dans le séjour et j'ai fouillé le secrétaire pour trouver un bloc-notes et un stylo. Puis j'ai fait le tour de la ferme. J'ai arpenté le domaine comme un inspecteur en bâtiment et j'ai noté tout ce qu'il y avait à faire. J'écoutais NRJ à fond sur un walkman, c'est parfait pour celui qui veut se lobotomiser sans séquelles persistantes. Je m'étais fixé trois choses à faire par jour, en plus du travail régulier. Et il s'agissait de choses telles que couler une nouvelle dalle à fumier et construire un nouveau local pour la pompe…

Et je l'ai fait. Les dents serrées, je me suis abruti de travail, tant de travail que je n'avais même pas un moment pour lire le journal. Je ne savais presque pas quel jour de la semaine on était. Je sortais chaque jour à cinq heures et demie du matin, puis je turbinais dehors jusque vers dix heures du soir. En rentrant, c'est simple, je m'écroulais, parfois je n'avais même pas le temps de monter dans la chambre. Il y avait des jours où je ne me rappelais pas si j'avais mangé ou pas.

J'ai tenu ce rythme-là jusqu'au labour du printemps. Si les vaches tentaient quoi que ce soit pour m'emmerder, je n'hésitais pas à leur donner un bon coup de pied avec le bout ferré de mes bottes. Il y en a une qui est devenue tellement nerveuse que j'ai dû lui mettre une entrave antiruade. A mon sens, elles avaient de quoi s'estimer foutrement heureuses.

Pas une seule fois je ne suis retombé dans l'apathie que j'avais ressentie avant de rencontrer la Crevette. Mais c'était comme si mes pensées suivaient une logique – j'avais abandonné la chose la plus vertigineuse de ma vie, pour cela. Alors j'étais bien obligé de me donner à fond. Donner tout ce que j'avais en moi.

Ensuite il y a eu une période où je me suis mis en tête que je devais sortir le samedi soir. C'était une corvée parmi d'autres – sortir examiner ce que le marché avait à offrir, comme dans un salon d'engins agricoles. J'avais laissé mes pauvres mèches d'étoupe aux bons soins d'un coiffeur, et ensuite je n'avais plus qu'à enfiler une chemise et un jean propres et un vieux blouson de cuir. Puis j'allais traîner dans les bars et draguais des filles et, comme en fait je me foutais totalement de ce qu'elles pouvaient bien penser de moi, je crois que je leur tapais plus dans l'œil que pendant ma période de Danseur de tango. Il m'est même arrivé de rentrer avec quelques-unes, jamais plus d'une fois. Ça ne m'a pas procuré la moindre consolation, et je n'ai jamais réussi à retenir leurs visages. Mais en toute sincérité je ne peux pas dire non plus que ça m'a plus déprimé. Il y avait tout de même des femmes quelque part.

Puis j'ai cessé mes sorties parce que le labour de printemps approchait à grands pas. A ce stade, je travaillais dix-huit heures par jour. Un matin quand je me suis évanoui dans la chaufferie, j'ai compris qu'il fallait faire quelque chose. J'avais perdu sept kilos et attrapé une gastrite. Pour au moins me débarrasser de cette saloperie, j'ai appelé Anita, et elle est passée un soir. En me voyant, elle a plaqué ses deux mains sur sa bouche. "Je n'ai pas envie d'en parler, ai-je dit. Est-ce que tu as apporté les médocs ?"

Une semaine plus tard, elle a posé des congés. "Ça les arrange à l'hôpital qu'on ne prenne pas nos vacances en été", a-t-elle dit. Puis elle s'est installée dans la chambre de ma mère. Elle préparait du poisson poché et de gentilles soupes pour mon estomac et elle me massait le dos quand j'étais resté sur le tracteur à labourer jusqu'à onze heures du soir. Elle remplissait le frigo et le congélo, elle lavait et rangeait la maison, elle accrochait des rideaux dans la cuisine et venait avec moi dans l'étable quand j'avais le contrôle laitier. Le soir, elle tricotait pendant que je lisais *Le Pays* et on n'a pas beaucoup parlé au début.

C'était comme de prendre deux aspirines quand la tête est sur le point d'éclater. La douleur s'estompe lentement en un petit mal lancinant auquel on s'habitue.

La troisième semaine, j'ai commencé à lui raconter. Elle n'a pas dit grand-chose, s'est contentée de hocher la tête en gardant un œil sur les mailles. J'aimais autant, si elle avait commencé à émettre des opinions sur la Crevette, je me serais effondré.

La quatrième semaine, elle est venue dormir dans ma chambre. Aucun orchestre philharmonique n'a joué, c'était plutôt comme un sauna quand on est complètement brisé et encroûté. Agréable et évident, mais rien qui vous fasse ronronner.

Je n'ai pas appelé Désirée une seule fois et je ne suis pas allé au cimetière. Je suis sûr que mes parents auraient compris.

Il est arrivé quelquefois la nuit, juste après notre séparation, que le téléphone sonne. Je savais qui c'était mais je ne décrochais pas. Je serais à nouveau tombé dans le panneau.

51

Mieux vaut franchir les minutes
une à une
les avaler comme des pilules amères
essayer de ne pas penser
à toutes celles qui restent

Chacun crée son propre enfer de ce qu'il déteste le plus. Pour les peuples autour de la Méditerranée, l'enfer était une chaleur éternelle, pour les Nordiques, il était un pays de froid glacial et de silence.

Je créai mon enfer personnel en faisant défiler comme dans un film toutes les erreurs que j'avais commises et toutes les occasions ratées.

Une semaine après que Benny et moi nous nous étions dit au revoir au cimetière, je compris qu'il était sérieux. Pas avant. Je l'appelai une nuit pour reprendre un petit fil. Il ne répondit pas et je sus qu'il s'était rendu inaccessible.

C'est alors que les images du film se mirent à défiler. Pour commencer, tout ce qui avait été dit le jour où il m'avait montré les projets pour la maison.

Plus je les passais en revue, plus je me trouvais une ressemblance avec Donald Duck – un Donald détestable et suffisant qui coassait et savait mieux que tout le monde. Qui disait que *nous* devions renoncer et nous adapter tout en pensant que c'était lui qui devait s'adapter. Qui imaginait toutes les solutions en prenant comme point de départ que ce soit Benny qui sacrifie quelque chose – si toutefois j'imaginais quoi que ce soit. Sachant tout le temps que c'était moi qui étais convoitée et qui pouvais choisir. Il y a quelques semaines seulement, c'était bien moi qui étais devant un terrible dilemme parce que je ne savais pas ce que je voulais, ou ce que je pouvais envisager de sacrifier – rien probablement.

Bien sûr qu'Inez m'avait avertie : "*Tu* étais différente, je ne t'ai jamais vue ainsi auparavant." Elle avait détecté un sentiment unique, que je n'avais pas vu, moi. Et ce sentiment me frappa alors de plein fouet, me terrassa et me valut deux semaines d'arrêt maladie.

Mon premier arrêt maladie depuis le lycée. J'allais acheter du yaourt, du pain et des œufs, puis je rentrais d'un pas chancelant à la maison. Ne sortais plus, débranchais le téléphone et le rebranchais, plusieurs fois par jour. Passais mon film.

Aujourd'hui, ces semaines-là m'apparaissent surtout comme une oscillation.

A un moment, j'étais furieuse contre Benny – lui non plus n'avait jamais envisagé de renoncer à la moindre fichue parcelle de sa vie. Je devais habiter chez lui, pratiquement abandonner mon boulot, m'adapter au point de laisser Violette s'occuper de mon enfant. Je n'arrivais pas à trouver quoi que ce soit qu'il ait sacrifié – la seule concession était sans doute le réaménagement de la chambre, et en ça il n'avait même pas demandé mon avis. Volontaire. Têtu. Exigeant.

Cette nuit-là, j'appelai pour l'engueuler. Il ne répondait toujours pas. Le salaud.

L'instant d'après, je rampai jusqu'au miroir et contemplai mon visage bouffi par les pleurs. Les larmes n'embellissent pas les femmes comme moi – enflée, rougie et avec des cils blancs. J'étais vraiment hideuse – personne d'autre ne verrait jamais en moi ce que Benny avait vu. Et qu'il m'avait montré. Il m'avait rendu belle et maintenant le charme était rompu.

Cette nuit-là, j'appelai pour pleurer au téléphone et demander pitié. Avant même d'entendre s'il répondait, je raccrochai – ça, ce n'était pas moi, ça ressemblait plutôt à Sten, en sanglots et bredouillant !

Ensuite je ne l'appelai plus. Mais je continuai d'osciller. Parfois je fignolais une séquence de lui avec sa casquette de forestier, mangeant bruyamment sa soupe et lançant des clichés réactionnaires avec son accent plouc. Et ensuite une séquence de lui à contre-jour, riant sur le perron de Rönngården, désarmant avec ses cheveux ébouriffés, en train de caresser un chat sur ses genoux. Ses bras musclés qui soulevaient des tonnes de foin avec une fourche. Puis je pleurais encore et écrivais frénétiquement dans mon carnet bleu. Selon la phase où je me trouvais, je branchais ou débranchais le téléphone, dans l'attente de signaux qui, je le savais, ne viendraient jamais.

Je me rappelle aussi avoir eu l'impression qu'il y avait vraiment beaucoup de minutes dans une seule heure, et que chacune d'elles passait très lentement. Je regardais sans cesse ma montre. Et j'avais du mal à avaler mon yaourt. Une fois je me pinçai le nez et gobai trois œufs crus parce que je m'étais mise en tête que j'étais sous-alimentée. Sinon je me nourrissais de bouillon.

Cela était bien pire que tout ce que j'avais jamais vécu, pire même que la mort d'Örjan. Je n'avais même pas la force d'en avoir honte. Örjan était totalement effacé de mon souvenir.

Märta aurait pu m'aider à traverser les premiers temps. Mais elle était dans une maison de repos dans le Småland. Et ce qui lui était arrivé était tout de même beaucoup plus sérieux, si maintenant on peut graduer l'enfer.

Alors j'ai pleuré aussi pour Märta.

Après trois semaines, je me traînai au travail. Les autres croyaient que j'avais eu une méchante grippe. Seul Olof avait vu mon certificat médical. Il me dit que si je voulais, je pouvais parler avec lui et je compris que je pourrais le faire, à présent. Mais je ne le fis pas.

Je m'enterrais dans le travail. Ça fonctionnait très bien. En fait, c'était seulement quand j'étais pleinement occupée que je me sentais à peu près comme d'habitude. Dès que je rentrais à la maison, ou que je déjeunais seule, j'avais l'impression que mon visage était mal arrimé. Qu'il était en Lego et qu'à tout moment il pouvait se disloquer. Et je ne dormais évidemment pas la nuit. C'était alors que je malaxais toutes les choses qui ne s'étaient pas réalisées. J'en trouvais de nouvelles chaque nuit. Il y en avait de plus en plus.

52

En allant en ville l'autre jour, j'ai vu Désirée pour la première fois depuis notre rupture. Il faisait assez chaud et elle était à une terrasse de café avec un homme maigre et grisonnant. Ils se penchaient l'un contre l'autre et semblaient complètement absorbés par leur conversation. Sur la table, il y avait une pile de livres. Je suis passé tellement près que j'ai vu que celui du haut de la pile était en anglais. Evidemment. Désirée avait du rouge à lèvres et une sorte de veste bleu clair très chic. Ses cheveux étaient plus longs qu'avant et un peu bouclés. Le type grisonnant riait.

J'ai eu envie de lui défoncer la gueule. Il n'était pas du genre à encaisser grand-chose. Si Désirée lui avait sorti son sourire de vacances d'été, j'aurais probablement sauté par-dessus la barrière pour atterrir dans leur pré carré. Mais elle ne l'a pas fait.

J'enverrai Anita en ville la prochaine fois. Elle commence à savoir aussi bien que moi ce qu'il y a à faire.

A la fin de son congé, Anita a pris un mi-temps sans même me consulter. Nous avons continué comme avant et je lui ai appris à conduire le tracteur pour qu'elle mette en silo pendant que je transporte le fourrage. On a commencé à faire de petites excursions à vélo en emportant un Thermos de café, et les vendredis soir elle louait un (un !) film vidéo et achetait une bouteille de vin.

La première vidéo qu'elle a louée, d'ailleurs, était *Police Academy*.

Dès que j'étais seul, j'écoutais mon walkman à fond. Et dans mon esprit commençait à se profiler une nouvelle Désirée, maquillée, portant des vêtements coûteux, et accompagnée de différents hommes qui avaient du savoir-vivre et lisaient des livres en anglais. Je supposais qu'elle avait obtenu ce qu'elle voulait !

Et cela était valable pour moi aussi.

Je me demandais si des fois elle pensait à moi. Et ce qu'elle voulait quand elle avait appelé la nuit au début. M'engueuler pour quelque chose, à coup sûr.

J'aurais voulu me trouver là en face d'elle et rire et lui dire que le rouge à lèvres lui allait très bien, et sa nouvelle veste aussi. Et la voir sourire.

Mais j'avais fait mon choix et maintenant il semblait que j'allais avoir et le beurre et l'argent du beurre, à la fois ferme et famille.

Avec Anita. C'est comme ça que les choses se font et ce n'est certainement pas la pire des façons.

Je n'ai sans doute jamais cru à cette histoire avec la Crevette. Il y avait quelque chose de menaçant dans ces sentiments puissants qu'elle m'inspirait, qu'apparemment elle continue à m'inspirer – vouloir défoncer la gueule à un parfait inconnu ! D'ailleurs, je n'ai jamais vraiment eu confiance en ces "mariages d'amour", ceux qui commencent lors d'un bal quand on se noie dans un décolleté. Ensuite, si le décolleté a l'âge et l'état civil qui conviennent, on poursuit avec les rituels d'accouplement habituels, du cinéma, des repas de famille, Ikea et vacances à Rhodes et ensuite on réserve une date pour l'église dans la commune où on habite et après ça roule sur des rails jusqu'à ce que le conseiller conjugal ait à intervenir.

C'était certainement tout aussi bien à l'époque où les parents vous choisissaient une épouse, on savait qu'elle correspondrait à peu près et ensuite on n'avait qu'à s'y habituer, parce qu'on n'en aurait pas d'autre. Maman aurait très bien pu choisir Anita.

Et je crois qu'aussi bien Anita que moi avons le sentiment d'avoir dépassé notre date de péremption en ce qui concerne le romantisme. On a tous deux besoin de ça, et on peut se permettre de priver le monde du spectacle ridicule d'une vieille fille et d'un célibataire presque vieux.

— Tiens, ça, c'est autre chose ! a dit Violette après avoir rencontré Anita. Bengt-Göran la connaissait déjà.

Je suis sorti planter mon poing dans le mur de la véranda. Mais ensuite je suis rentré.

Anita n'est ni bête ni triste, même si elle ne me fait pas rire comme la Crevette. J'ai toujours apprécié Anita et je me suis toujours senti bien en sa compagnie. Mais je ne peux pas tout à coup tomber amoureux d'elle, pas plus que je peux me mettre à fredonner des airs d'opéra. Ce n'est pas en moi, c'est tout.

241

Elle n'irait jamais demander non plus si je "l'aime".

On peut aimer les chats, la glace à la fraise, les cols roulés et Ibiza – et ensuite les gens vous demandent soudain d'"aimer" une seule personne jusqu'à ce qu'on arrête de le faire et qu'on se mette à en "aimer" une autre. J'ai toujours trouvé ça du même niveau que quand on jouait à Toc, toc, c'est le facteur.

C'est comme cette vieille blague avec la cigogne – je ne crois pas à la cigogne bien que j'en aie vu une un jour.

Je ne crois pas à l'Amour, bien que je l'aie vécu.

Pourrais-je dire.

Quand je n'arrive pas à dormir, je pense que c'est parce qu'en fait je ne lui ai jamais donné sa chance, à l'amour. Je ne suis pas allé jusqu'à penser que je pourrais le placer avant tout le reste.

Et parfois je pense que je n'ai pas tout à fait rejoint la terre ferme encore, à supposer qu'un jour je l'atteigne.

Quand mes réflexions se mettent à déraper vers des choses telles que fonder une famille, je ne peux par exemple pas m'empêcher de penser à la Crevette, enceinte, avec mon enfant comme une bosse sur ce corps blanc et maigre. Etre celui qui la rend enceinte. Elle en avait tant envie.

Je comprends les gens qui ont des courts-circuits quand ils croient avoir rencontré des extraterrestres et en refoulent totalement tous les souvenirs. D'une certaine manière, c'est trop grand pour votre image du monde, vous êtes obligé de le reconstruire. Et croyez-moi, je vais refouler la Crevette jusqu'à ce que je ne trouve même plus le chemin de la bibliothèque.

53

Réparer des bulles de savon éclatées
et faire sourire des poupées de chiffon
ça peut prendre du temps

Je rêvai que je faisais les soldes de chaussures. Au milieu d'un tas de chaussures sur une table, j'en ai trouvé une très jolie en daim bleu avec des lanières, un pied droit, et je l'ai mise. En réalité mes jambes sont comme des battes de base-ball, droites et blanches, mais dans le rêve j'ai vu ma jambe droite devenir galbée et soyeuse, avec une cheville de danseuse, dans cette chaussure-là. Si bien que j'ai commencé à chercher la chaussure gauche. Quand je l'ai trouvée, elle s'est révélée toute petite, la taille pour un enfant de cinq ans. "Ça arrive de temps en temps, a dit la vendeuse avec indifférence. Vous êtes libre de les acheter ou non. C'est la seule paire que nous avons." Mais comment pourrais-je acheter des chaussures dépareillées ? Devrais-je me trancher la moitié du pied ? Déçue, j'ai quitté le magasin, et je me suis réveillée.

Je me forçais à évoquer ce rêve-là à chaque fois que mes pensées prenaient la direction de Benny. La moitié du pied.

Mais changer d'apparence faisait partie de ma réhabilitation. Pour commencer, je mis un peu de mascara pour cacher mes yeux gonflés, et de la poudre sur les cernes. Puis vint le rouge à lèvres, et je me rendis compte que j'aimais bien maintenant devenir visible aux yeux des hommes. Chaque fois que quelqu'un me regardait un peu plus longuement, ça faisait comme une petite vengeance contre Benny : tu vois, il y a quelqu'un qui veut bien de moi quand même ! J'achetai aussi quelques beaux vêtements dans des tons soutenus, surtout pour me persuader que j'étais vivante. Je réussis assez bien.

En mai, la bibliothèque m'a envoyée en stage à Lund pendant deux semaines. J'en ai profité pour faire une virée à Copenhague où j'ai visité la glyptothèque avec ses collections d'art antique. Dans le hall d'entrée, on trouve la statue de Niobé avec tous ses mômes qui grouillent sur elle. Je l'ai photographiée sous tous les angles. Ensuite j'ai passé des heures dans la salle avec les bustes d'empereurs et d'impératrices romains. Vers le deuxième, troisième siècle après J.-C., ils commencent à être nets et réels comme sur des photos et on peut suivre l'apparence d'une personne depuis son enfance jusqu'à ses vieux jours.

Comment est-ce que je serai dans cinquante ans ? Et Benny ?

Je me suis promis d'aller le voir, quoi qu'il en soit, quand j'en aurais quatre-vingts. Ça au moins, il ne pourra pas me le reprocher.

Pour les vacances, je m'inscrivis à un stage d'aquarelle sur la côte ouest de l'Irlande. Accompagnés des cris des mouettes, nous essayâmes toute la journée de capturer l'éclat du soleil sur l'eau en bas des falaises. Deux Américains, frère et sœur, m'ont invitée à passer Noël chez eux dans le Wisconsin. Lui était prof de collège, on a partagé des moments de silence très confortables.

Dans un petit pub poussiéreux à Ballylaoghaire, j'ai vu le même vieux réfrigérateur que dans la cuisine de Benny. Est-ce qu'il y est encore, je me le demande.

Une fois, une seule fois, j'ai emprunté une voiture et traversé le village de Benny. Je me faisais croire que je partais cueillir des framboises sur une grande coupe forestière dans le village suivant. Et sur la route, j'ai vu Benny et une femme brune à la peau hâlée. Ils étaient à vélo, ils pédalaient dans la direction opposée, un panier sur le guidon, mais ils ne m'ont évidemment pas vue dans la voiture. Benny semblait expliquer quelque chose et montrait les champs. Il était bronzé et maigre et ses cheveux étaient différents. Il semblait heureux.

Elle avait l'air assez quelconque, d'ailleurs. Elle doit bien s'entendre avec Violette, pensai-je. Et ensuite je me demandai s'il faisait l'amour avec elle de la même façon qu'avec moi, puis ça devint insupportable et j'eus du mal à rentrer et je décidai de ne plus jamais y aller.

Märta retrouvait son apparence habituelle – extérieurement. Mais elle me rappelait un jouet que j'avais quand j'étais petite, un canard jaune en tôle qui savait dodeliner sur ses pieds plats et faire couac quand on le remontait avec une clé. Un jour je l'ai trop remonté et le ressort a cassé. Je n'arrivais pas à comprendre qu'il n'allait plus jamais fonctionner, à l'extérieur il était toujours pareil.

Le ressort de Märta avait cassé.

Mais la différence entre les gens et les canards en métal est, entre autres, que nos ressorts peuvent guérir avec le temps. Märta rencontra un homme cloué sur un fauteuil roulant. Il avait subi une colostomie et depuis il était très irritable et soupe au lait. "Eh oui ! disait Märta. Mais lui au moins, je sais où il est !" La vie de cet homme devint définitivement plus aventureuse après sa rencontre avec Märta. Elle se mit en tête que les gens en fauteuil roulant pouvaient faire tout ce que nous autres pouvons faire. Le fauteuil lui échappa dans une pente escarpée pendant une randonnée en montagne et se renversa. Il lui hurla dessus, mais elle se secoua simplement et le traîna en haut d'un autre sommet.

En septembre, j'ai redémarré mes Heures du conte. Un petit blondinet aux yeux marron était souvent assis au premier rang, il intervenait dans le conte et proposait différentes améliorations. Son papa attendait assis plus loin contre le mur, il avait l'air fier et gêné à la fois. Un jour, ils se sont attardés pour me parler, et je suis allée boire un café avec eux. Le papa s'appelle Anders et il vit seul avec son fils. Nous avons commencé à nous voir, des promenades, des visites au musée et des dîners à la maison. Anders est historien et parle du passé d'une façon tellement légère et irrespectueuse que je ne sais pas ce que je dois en penser mais il me fait rire souvent.

J'espérais que j'étais en train de tomber amoureuse de lui.

Un jour quand nous nous promenions dans le parc tous les trois, le petit Daniel dit avec des lèvres qui tremblaient :

— Les pauvres aigles, je les plains !

— Pourquoi ? demanda Anders.

— Ils sont trop gros pour entrer dans les nichoirs.

Alors j'ai compris que c'était de Daniel que j'étais amoureuse.

En octobre, il y a eu un miracle ordinaire. Dans une vitrine j'ai vu une paire de chaussures de daim bleu avec des lanières. Je les ai reconnues. Je suis immédiatement entrée les acheter et je les ai gardées aux pieds, puis je suis rentrée à la maison téléphoner.

54

Je croyais m'y connaître en miracles.
Ils étaient mon métier. Semer et récolter, de la vie.
Mais on ne sait jamais où ils se cachent, les miracles.
Ils peuvent vous surprendre par-derrière
et vous attraper par la peau du cou.

Anita voulait qu'on se fiance, avec bagues et tout.

— Ce n'est pas possible, je n'ai pas d'annulaire à la main gauche ! ai-je dit. Mais ensuite j'ai arrêté mes prétextes. Elle le méritait bien.

Subitement un soir en octobre, la Crevette a appelé. Je venais de rentrer de l'étable, Anita était dans la cuisine, elle faisait frire du lard qui crépitait dans la poêle. La radio marchait à fond. Je suis monté prendre la communication dans la chambre.

— Oui ?

— Est-ce que tu peux venir chez moi ? Là, tout de suite ? Il ne s'est rien passé de dramatique, ni quoi que ce soit, il y a juste un truc dont je dois discuter avec toi.

— Maintenant ? Ça ne tombe pas très bien ce soir. Demain peut-être ?

J'ai essayé de paraître impassible, ce que je n'étais pas, évidemment. J'étais quoi alors ? Touché ? Il y eut un long silence.

— Non, a-t-elle dit. C'est ce soir ou pas du tout. Mais je ne t'en voudrai pas si tu ne viens pas. C'est OK.

— Je serai là dans une demi-heure, ai-je dit.

Anita n'a pas demandé pourquoi je devais soudain aller en ville. Mais elle a dû se poser des questions. En général, je dis où je vais.

Je n'ai pas pensé pendant le trajet. Je n'ai fait que tambouriner avec les doigts sur le volant en essayant de vider mon esprit.

Elle m'a fait entrer avec un visage absolument neutre et m'a dit de m'asseoir dans le fauteuil inconfortable en tube d'acier. C'était bien elle, tout en n'étant pas elle. Pour qui avait-elle commencé à se maquiller ? Elle portait comme d'habitude des vêtements de couleurs pâles, jean et pull – mais bizarrement aussi une paire de chaussures bleues très élégantes avec des lanières.

Elle s'est installée en face de moi, l'air d'un enfant qui compte avant de sauter dans l'eau froide : un deux trois, à quatre c'est à moi.

Il y a eu un moment de silence. Puis on s'est mis à parler tous les deux en même temps.

On a ri, un peu gênés. Elle m'a regardé et je crois que je l'ai rarement vue avec un visage aussi affectueux. D'ailleurs, je ne me souviens pas que ça lui arrivait très souvent, d'avoir l'air affectueux.

— Je n'ai pas su attendre cinquante ans, alors que j'en avais l'intention, a-t-elle dit. Ne t'inquiète pas.

Je ne veux pas te faire d'embrouilles. Mais il y a un truc que je voudrais te demander, et je ne sais pas par où commencer.

— Essaie d'être un peu drôle. C'est ce que tu faisais en général quand *moi* j'essayais d'être sérieux ! ai-je dit, et j'ai perçu l'amertume dans mes mots. C'était tellement gratuit ! Alors que j'avais été pareil. Maintenant il fallait arrondir les angles.

— Est-ce que tu as lu quelque chose de bon ces temps-ci ? ai-je dit. C'était une bonne vieille réplique de base, elle nous avait souvent servi pour démarrer. La Crevette était censée répondre un truc style "Schopenhauer" et moi "La revue de Noël de Fantomas" et ensuite on devait comparer. "L'image du monde de Schopenhauer est vraiment fouillée ! – Oui, mais les slips de Fantomas sont plus sympas…" Des échanges comme ça nous avaient sauvés plus d'une fois quand on s'était aventurés sur de la glace fragile. Et parfois on avait réussi à dire des choses importantes en les enrobant de plaisanteries.

— L'autre jour j'ai lu un article sur une enquête scientifique française, a-t-elle dit. On a laissé un groupe d'hommes dormir en débardeurs blancs tout neufs pour transpirer dedans et ensuite les femmes d'un autre groupe ont reniflé les débardeurs et choisi l'homme qu'elles trouvaient le plus intéressant. Et on a découvert que chaque femme a choisi celui dont le système immunitaire était complémentaire du sien. Autrement dit, la descendance serait bonne.

— Alors c'est mon système immunitaire qui t'a branchée ? Pas la ferme ?

— Qui sait ?

Elle s'est tue de nouveau un moment et elle avait l'air de compter encore : à cinq, je suis bonne, à six, ça *tonne* !

— C'est ça que je veux. Je l'ai voulu tout le temps et je ne sais pas pourquoi. Je veux dire, je veux avoir un enfant avec toi. Non, laisse-moi finir ! Ce que je cherche, ce n'est pas qu'on recommence. Je veux simplement faire taire cette saloperie d'horloge biologique, sinon je vais rester à piétiner sur place. Je veux donner une chance à ces petits ovules dont je me sens tellement remplie, rien qu'une seule petite chance. Et tu n'auras même pas à t'en rendre compte.

— Est-ce que tu as l'intention de m'assommer et d'abuser de moi ? J'avoue que j'ai dû la regarder bouche bée.

— J'ai l'intention de te demander de faire l'amour avec moi encore une fois, une seule, a-t-elle dit en me regardant avec le plus grand sérieux. Là, maintenant, quand ils s'agitent comme des fous. Et il faut que ça soit toi précisément. Il semble qu'il n'y ait que toi qui les fasses caracoler comme ça.

J'ai vu ma vie défiler, comme on dit.

— Et ensuite tu n'auras plus besoin d'en entendre parler. A moins que tu le veuilles, évidemment. Et si ça ne marche pas – et ça ne marchera pas, c'est sûr –, on aura tenté le coup, et je pourrai arrêter d'y penser, et ensuite on pourra connaître le bonheur absolu chacun de son côté. Elle a lorgné l'anneau qu'Anita m'avait offert pour nos fiançailles.

Je n'ai rien dit.

— En tout cas, il aurait un système immunitaire d'enfer, a-t-elle murmuré. Non, pardon ! Je n'ai jamais été plus sérieuse qu'en ce moment. J'ai pensé que je ferais une déclaration de père inconnu. Ne dis rien, pas un mot ! Je n'ai évidemment pas réfléchi à fond. Et il y a d'autres facteurs aussi à prendre en considération, je sais, je sais ! C'est pourquoi je t'accorde exactement une heure pour réfléchir. Je vais faire un tour en attendant.

Elle s'est levée d'un bond, a attrapé son fourre-tout en tissu et s'est dirigée vers la porte.

— Si tu n'es plus là quand je reviens, je saurai. J'aurai fait tout ce que je pouvais et ils n'auront qu'à se mettre à caracoler pour quelqu'un d'autre… Quoi qu'il en soit, je me souviendrai de toi comme mon meilleur copain de jeu. Cela dit, je ne vais pas penser à toi trop souvent.

Elle s'est glissée par la porte avant que j'aie eu le temps de réagir.

J'avais probablement la même tête que les vaches à l'abattoir quand le vétérinaire décharge le pistolet anesthésiant.

J'ai jeté un coup d'œil dans la pièce. L'affiche avec le coquillage avait disparu. A sa place, il y avait une peinture à l'eau avec des rochers et la mer et une photo agrandie d'une sorte de statue, une grosse femme avec un tas d'enfants qui lui grimpaient dessus.

Si j'acceptais sa proposition démente, je me comporterais envers Anita comme l'autre Robertino envers sa copine Märta. C'était impossible.

J'ai passé cinquante-neuf minutes à suçoter mes jointures vides. Ensuite j'ai débranché le cerveau et me suis mis en pilotage automatique.

Elle est arrivée en trombe et a balancé son fourre-tout dans l'entrée. Tout d'abord, elle ne m'a pas vu, parce que l'obscurité était tombée et j'étais resté dans la pénombre. Elle a allumé le plafonnier, m'a aperçu et alors elle s'est mise à pleurer et à faire couler son mascara.

— Oh non ! ai-je dit. Ne va pas croire que c'est toi qui décides tout. Moi aussi, j'ai mes conditions. Premièrement : tu peux oublier le père inconnu. Jamais de la vie que je te laisserai les mains libres ! Tu transformeras mon gamin en un petit docteur en langues mortes, pâle et effacé. Deuxièmement : je veux avoir trois essais, c'est toujours comme ça dans les contes. Je reviendrai encore deux fois, demain et après-demain. Et tu ne coucheras avec personne d'autre pendant ces trois jours, et moi non plus évidemment. Après la troisième fois, je rentre chez moi et toi tu restes ici, et nous ne donnerons pas de nouvelles avant ton coup de téléphone. A ce moment-là, soit tu auras eu tes règles, soit une réponse au test.

— De toute façon, il n'y a qu'une chance sur cinq, a-t-elle hoqueté.

— Je suis bien placé pour savoir, avec les vaches, à quel point ça peut être difficile de réussir une insémination, ai-je dit. J'ai dû faire un effort dingue pour parler, ma voix partait en dérapage non contrôlé. Mais on ne t'enverra pas directement à l'abattoir si ça ne prend pas. Et si ça marche, on lui apprendra

253

la première voix de *Hosanna*. Si ça ne marche pas, je promets de devenir très heureux sans toi, et chaque fois que j'irai à la bibliothèque, je passerai devant ton bureau et je te taperai dans le dos. Tu sais aussi bien que moi que ça n'arrivera pas souvent.

On s'est serré la main et on est entrés dans sa chambre blanche.

Décrire comment c'était, ce n'est pas possible, en tout cas pas de ce côté-ci du prix Nobel de littérature.

Et quand j'ai retrouvé mes esprits, je savais qu'il me restait deux essais. Dans les contes, ils se plantent toujours les deux premières fois. Ensuite surgit un mystérieux petit bonhomme gris qui leur donne la formule magique secrète.

Croyez-moi, je le guetterai, ce petit bougre-là.

BABEL

Extrait du catalogue

COÉDITION ACTES SUD – LEMÉAC

Ouvrage réalisé par l'atelier graphique Actes Sud, reproduit et achevé d'imprimer
en avril 2010 par Normandie Roto Impression s.a.s. 61250 Lonrai sur papier fabriqué à
partir de bois provenant de forêts gérées durablement (www.fsc.org) pour le compte
des éditions Actes Sud, Le Méjan, place Nina-Berberova, 13200 Arles
Dépôt légal 1re édition : avril 2009
N° d'impression : 10-1307
(Imprimé en France)